メディアワークス文庫

君と、眠らないまま夢をみる

遠野海人

目　次

「双子のパラドックスを知っているか」

中井《なかい》恭介《きょうすけ》がわけのわからないことを言いながら振り向く。くせっけに隠れた黒い目がこちらをじっと見つめていた。

「概要はこうだ。双子の片方、たとえば兄が光速で飛ぶロケットに乗って宇宙へと旅立ち、弟は地球からそれを見送ったとする。この仮定で重要なのは視点だ」

そのとき俺たちはケンカをしていた。少なくとも俺はそう思っていたので、少なからず腹を立てていた。そのことに気づかない恭介は相変わらず落ち着いた口調で話し続ける。

「地球に残った弟からすれば兄が光速で離れていくように見える。だがロケットにいる兄からすれば、弟の残った地球が光速で離れていくということでもある」

恭介の部屋にはたくさんの楽譜があった。ベッドのシーツも白、楽譜も白。あまりの白さに目が痛くなる。窓の外に視線を逃したが、外も雪が降っていて気が滅入《めい》った。天気が悪い中、突然呼び出されたと思えばこの有り様だ。笑えない。

「わけのわからない話をするだけなら、もう帰るからな」

「智成《ともなり》」

楽器ケースを摑《つか》んで立ち上がった俺を恭介は呼び止めた。

「真空の宇宙で、音は聞こえると思うか？」

「は？　聞こえるわけないだろ」

音は振動だ。楽器も声も空気を震わせ、その振動が鼓膜を揺らすことで初めて聞こえるようになる。空気がなければ音は聞こえない。

俺の答えを聞いて、どこか安心したように恭介はうなずいた。

「そうだ、僕には聞こえない。だが智成には聞こえるはずだ」

用は終わった、とばかりに恭介は再び背を向けてしまう。これには俺も我慢の限界だった。

「本当に帰るからな！」

頭にかっと血がのぼって、俺は恭介の家を飛び出す。途中で恭介の妹と廊下ですれ違ったが足を止めようとは思わなかった。

暖房のきいた部屋からいきなり外に出たため、寒暖差で心臓が痛くなったことを今でも思い出せる。帰り道、どんどん雪は強くなり、家につく頃には吹雪になっていたことも。

その二時間後、恭介は事故で死んだ。

少なくとも俺はそう思っている。

春の終わりを告げる音

「ねぇ、相馬《そうま》。吹奏楽部に入ってよ」

朝、いきなりの勧誘だった。

遡ること、十秒前。

大石裕美《おおいしひろみ》は短い茶髪をなびかせ、どんと俺の机に手をついた。こちらは頬杖《ほおづえ》ついてぼんやりとしていたので、それはもうびっくりする。バイトが終わって、一時間ほどの昼寝ならぬ朝寝の後だったからなおさら驚かされた。

「あのさ、大石。俺に部活の勧誘って、自分でやっておかしいと思わない？」

「ちょっと遅いのはわかってる。でもまだギリギリ四月だし、セーフでしょ」

「時期じゃなくて学年の話だ。俺、お前と同じで三年だぞ。勧誘するには二年遅い」

「仕方ないじゃん。相馬が中学のときに吹奏楽部だったこと、つい最近知ったんだから」

午前八時を過ぎた教室には半数以上のクラスメイトが登校してきている。

誰か助けてくれないものか、と周囲を見回してみたが誰もが苦笑いだった。逆の立場なら俺もあんな顔をして遠くから眺めていたことだろう。

「とにかくうちの部に入ってよ。今年は新入部員が少なくて困ってるの」

「それは気の毒に。ちなみに今は何人なんだ？」

「一年から三年まで合わせて十人」

「それはさすがに寂しいな」

他の文化部と比べても人数が必要となる部活動だ。人数が少ないと困る、というのは理解できる。

「だから吹奏楽経験者の人を調べて片っ端から声をかけてるわけ」

「へー。あれ？　でも去年の文化祭はもっと大勢で演奏してなかったっけ？」

ちゃんと数えたわけではないが、六十人くらいは居た気がする。いくら先輩たちが卒業したといっても、急に減りすぎじゃないだろうか。

「そこは色々あったの。ね、それよりどうせ暇でしょ？　吹奏楽部に入ってよ」

あ、ごまかした。事情が気にならないわけではないが、わざわざ突っ込んで訊《き》くのも野暮か。そこまで知りたいわけでもないし。

「残念だけど放課後はバイトの準備で忙しいんだ」

バイトは深夜の二時頃から始まるので、放課後は早く寝て睡眠時間を確保しなくてはならない。同級生の中では誰よりも早い時間に就寝している自信がある。この自信が役に立ったことはまだないんだけど。

「バイトしてるなら仕方ないか。今回だけは特別に勘弁してあげる」

「なんで俺が許してもらう側になってるのかよくわかんないけど、どうもありがとう」

「じゃあ代わりに情報提供してよ。中学のときに同じ吹奏楽部だった子とか教えて」

「同級生にはいなかったんじゃないかな」

そもそも同じ中学から進学してきた同級生がいない。その理由は単純で、この高校が母校の校区からはやや遠いところにあるからだ。

上昇志向の強いやつは電車に乗ってでも立派な私立高校に進学するし、特に目的もなければ徒歩で通える近所の高校に流れる。俺の進学したこの公立高校はどちらにしても中途半端であり、うちの中学からわざわざ進学してくるのはよほどの物好きだけだ。

ちなみに俺がこの学校に進学した理由は、自転車通学をしてみたかったから。期待通りに快適だけど、悪天候の日は困る。

「というか、そもそも俺が吹奏楽部だったことは誰に聞いたんだよ」

「新入生の子が教えてくれたの。相馬と同じ中学だったんだって。もしかして、かわいい後輩の話を聞いて入部する気になった？」

「ならない」

「あっそ。相馬のバーカ」

ふん、と鼻を鳴らして大石は廊下側にある自分の席に戻っていった。

それにしても、新入生が情報源というのは妙だ。

俺が吹奏楽部に入っていたのは中二の冬までであり、三年生に進級する前に早々とやめている。だから今年の新一年生、つまり二つ年下の後輩が俺のことを元吹奏楽部だと知っているのは不思議だ。

とはいえ、人づてに聞いたのかもしれないし、気にするほどのことでもないか。

俺はあくびを嚙《か》み殺し、始業までの短い時間をぼーっとして過ごした。


早朝の町をカゴの錆《さ》びたバイクで走る。

エンジンの振動が古びた車体と俺の身体《からだ》をガタゴトと揺らした。前カゴにぎっしりと積まれた新聞紙もガサガサと小さく音を立てている。

俺の生活はこの新聞配達のバイトを中心に回っていると言っても過言ではない。

放課後、帰宅するとすぐに軽めの食事を取り午後七時までには布団に入る。目を覚ますのは午前一時だ。それから支度を整え、午前二時頃には営業所で新聞を受け取り、おんぼろバイクで町内パトロールへと出かけるという流れだ。

バイトを始めたのは高校に入学してすぐの頃だった。けれど、バイクを使った配達ができるようになったのは免許を取ってからなので、まだ一年も経《た》っていない。最初は慣れない運転に緊張していたが、近頃は早朝のひんやりとした空気が気持ちいいと感じる余裕も生まれつつある。

京都《きょうと》の町は碁盤の目になっているから迷うことは少ない、と幼い俺に教えてくれたのは祖母だった。京都生まれの祖母はとにかくこの町のことが好きで、事あるごとに良《い》い場所だと繰り返していた。

新聞配達のバイトを始めてからは、たしかに道のわかりやすさに助けられている。住所そのものは西入ル東入ルとやけに長くてややこしいので、配達ルートを覚えるのには苦労したんだけど。

上京区《かみぎょうく》の東側半分が俺の担当している配達エリアだ。堀川通《ほりかわどおり》と烏丸通《からすまどおり》の間を縫うようにして往復しながら南下していく。日中は人通りの多いこの道も早朝だと静かだ。

でも安全運転を心がける俺の目には、今日も様々な人の姿が見えていた。

信号を待っている制服姿の男女や、堀川《ほりかわ》にかかった短い橋を渡るスーツ姿の人、細い道では路側帯の内側を歩く浴衣姿の女性など、早朝の町では様々な人が活動している。

暑い日も寒い日も、早朝に見える人の姿は変わらない。まるで時間が止まっているかのように錯覚してしまう。

夜明け前にしか存在しない、この景色が好きだ。昼間には見えないものがたくさんある。

安全運転のためには、こうして視野を広く持つことは大切だ。どれだけ配達に慣れても事故は怖いから、注意力と慎重さをなくさないようにしている。

今日もそんな風に作業を始めて、二時間。

烏丸通りを右折し、一条戻橋《いちじょうもどりばし》を渡って西へと向かう。

このあたりは小さな頃から見知った場所なので細かい道までよく知っている。特に春の堀川通は桜が咲いて綺麗《きれい》なのだが、さすがに今はもうほとんどが散ってしまっていた。次に満開を見るには来年を待つしかないだろう。そのとき自分がなにをしているのかは想像がつかない。

鼻歌まじりにバイクを走らせ、調子よく配達を進めていく。頭の中で音楽を流せば、新聞配達はリズムゲームと同じだ。移動も投函《とうかん》もテンポが大事になってくる。

「ん？」

見慣れた家々の間で、突然見慣れない光景に出くわした。

夜闇に溶け込む一軒家、その郵便受けの前に女の子が立っている。暗闇で姿形はまだはっきりしないが、男女の区別くらいはつく。

スピードを落としながら腕時計を確認する。光る文字盤を見れば時刻は午前四時前だ。

女の子は散歩に出かけることもなく、なにかを待つように立っている。

まさか新聞が配達されるのを待っているのだろうか。

「おはようございます」

できるだけ格好良く錆びたバイクを止めて新聞を差し出すと、相手は特に待ちわびていた様子もなくあっさりと受け取った。

「どうも。お久しぶりです、相馬さん」

落ち着いた声だった。そして俺のことを知っているらしい。

だ、誰？

「えーっと……」

周囲を見回してヒントを求める。配達中は投函するポストに注目しているせいで、建物まではしっかり見ていない。だけど、考えてみればここはたしかに同級生の住んでいた家だ。

中井恭介という名前のそいつはインドアを絵に描いたようなやつで、間違っても外に新聞を受け取りにくるようなタイプじゃない。そもそもあいつは男だし、なによりもう死んでいる。

あ、でも妹がいたな。二つ年下だったっけ。

こちらを見上げる黒く大きな瞳、髪は太くて長い一本の三つ編みにしてある。記憶に残る幼い中井妹とまったく同じ髪型だ。そしてどういうわけか、うちの高校の制服を身に着けている。

俺が気づくのとほぼ同時に、中井妹はしびれを切らしたようだった。

「中井優子《ゆうこ》です。よくそれだけ堂々と人の顔を忘れられますね」

「すいません」

といっても会うのはずいぶん久しぶりだ。最後に会ったのは恭介の葬式だったからほぼ四年ぶりか。あのときはまだ小学六年生だった中井妹も、高校に入学する年齢になっている。印象が変わっていてもおかしくない年月だ。

「相馬さんはバイトですか」

「ああ、模範的な勤労少年だ。ファンレターをくれてもいいぞ」

「まだ続けているんですね。吹奏楽部に勧誘されたはずですが」

「たしかに勧誘されたけど……あ、なるほど。そういうことだったのか」

HR《ホームルーム》前の謎が早くも解けた。

吹奏楽部の大石に俺の経歴をバラしたのは中井妹だったのだろう。二歳年下の後輩でも中井妹なら俺が吹奏楽部だったことを知っている。兄である恭介と俺は友達だったし、昔はこの家に週二日のペースで通っていた。

とはいえ、中井妹が同じ高校に入学しているとは知らなかったし、ましてや吹奏楽部に入部しているなんて想像すらしたことがない事態だ。

「勧誘なら断ったよ。バイトのほうが大事だからな」

「私と会っても気が変わりませんか？」

「なんだその妙な自信は」

「どうなんですか？」

中井妹はいやに淡々としている。その口調が周囲の気温を下げているかのように冷たい風が背後から吹き抜けた。

「一緒に部活をするなら三年生の俺よりも、同級生を誘ったほうがいいんじゃないか」

「兄の作った曲を演奏するには、他の人ではなく相馬さんの力が必要なんです」

中井恭介の作った曲。

その言葉に心臓のあたりがざわつく。

時間が凍りついたような感覚に一瞬混乱するが、よく考えてみればそんなに寒くない。むしろ暑い。手のひらが汗ばんでいるくらいだ。

「へぇ、そうなんだ」

返事をしないのも変なので、ちゃんと相槌《あいづち》を打っておく。冗談のような話だったから、自然と笑みも浮かんできた。

「ごめん、配達って結構急ぐんだ。話はまた今度ゆっくり」

適当な言葉でごまかすと、俺はバイクで逃げ出す。

中井妹がまだこちらを見ているのはわかっていたが、振り返る気にはなれなかった。

＊＊＊

あいつと初めて会ったのは、忘れもしない五歳の頃だった。

その年の俺は新たな習い事として、トランペットのレッスンを受けることになっていた。

きっかけはもう亡くなった祖母だ。

若い頃にオシャレなレストランで聴いた演奏の素晴らしさを熱く語った祖母は、俺の誕生日にピカピカのトランペットをプレゼントしてくれた。

当時の俺はトランペットの金ピカなところをすぐに気に入ったが、それ以外には嫌いな要素しかなかった。

なにせ重い。しかも子どもには大きい。ケースに入れるとなおさら大きく重くなる。五歳の俺にとっては、それを抱えてレッスンに行って帰ってくるだけでも修行のようなものだった。

今なら歩いて十五分程度の道のりも、子どもの足では倍以上はかかる。最初の頃は母と一緒にバスで通っていたが、それでも抱えたトランペットが重かったことはよく覚えている。

音楽教室は見た目には普通の民家と変わらなかった。特別なことと言えば地下に防音室があることだけだ。

そこに住んでる女性がトランペットの個人レッスンをしている、ということを調べて俺の習い事に組み込んだのも祖母だった。実はレッスン料も負担していたとのちに母から聞いたので、祖母はよほど俺にトランペットを習わせたかったようだ。

そんなわけで、五歳の誕生日からトランペットを習い始めて三ヶ月が経つ頃。

俺に秘められた天才奏者としての才能が開花する……なんてことはなく、自分でもびっくりするくらい下手なままだった。

そもそも音が出ない。息を吹き込むだけで鳴る、と勝手に思っていた当時の俺はその時点でまず愕然《がくぜん》とした。マウスピースだけを使った練習から始め、ようやく音が出るようになったが、それでもヘロヘロとした情けない音しか出せなかった。

練習しても上達している実感がない。口も腕も痛いし、やっぱりトランペットは重いし、もう楽器そのものが嫌いになりかけていたほどだ。

そんな俺の心情を察したのか、その日の先生は普段よりも早く休憩にしようと提案して、飲み物を用意するために防音室を出て行った。

あいつが現れたのは、そのときだ。

相変わらずちゃんとした音が出せずふてくされていた俺に、あいつは扉を薄く開けて声をかけてきた。

「それ、トランペット？」

第一印象は怪しく細長い少年という感じだった。

腕も足も細く、日に焼けていない。くせっけの奥にある丸い瞳が、俺の持つトランペットをじっと見ていた。

あいつは単なる確認のつもりで声をかけてきたはずだ。だけど俺はその視線を羨望の眼差《まなざ》しだと勘違いした。

他の子は持っていない特別なもの。そのとき初めて、自分のトランペットをかっこいいだろうと誇るような気持ちが芽生えた。我ながら単純だ。

「吹けるの？」

「当たり前だろ」

反射的に答えたけど嘘《うそ》だった。相変わらず満足に音は出せない。

どうにか音を鳴らすことができても、怪獣のイビキみたいな音しか出なかった。先生がお手本で見せる流れるような指さばきもできなければ、綺麗で目の覚めるような音も出せない。

けど、できないとは言えなかった。ちっぽけなプライドだ。

「なら、演奏してほしい曲があるんだ。僕の作った曲」

「ふーん。じゃあ吹いてやるから楽譜もってこいよ」

軽い気持ちで引き受けると、そいつはすぐに手書きの楽譜を持ってきた。

まだ満足に楽譜も読めないレベルだったけれど、できると言ったからには絶対にそれを演奏してやろうと決めた。

飲み物を持って戻ってきた先生も、まずは興味がある曲を練習するのがよいとレッスンでその曲を練習することを後押ししてくれた。

それからは我ながら熱心に練習に励んだ。レッスンの時間だけでなく家に帰ってからも楽器に触れ、うっかり部屋で音を出して母に怒られてからはイメージトレーニングに没頭し、四六時中指をパタパタと動かしていた。タンギングの練習のために、日頃の呼吸にまで気を配っていたくらいだ。楽譜を読み解こうとする努力だって怠らなかった。

そこまでしてもやっぱり劇的に上達するなんてことはなかったけれど、少しずつトランペットから出る音もマシになっていったと思う。

手書きの楽譜を演奏できるようになったのは、初めてそいつと出会ってから二ヶ月後のことだった。

レッスンの休憩時間にそいつの目の前で吹いてみせたので、先生をのぞけば、あいつが俺の演奏を聴いた初めての観客になる。

その曲は、それまで練習していたものとは明らかに毛色が異なるものだった。

様々な音符が詰め込まれていて、雑然としている。聴いていて心地よくはないけれど、一度聴くと耳にこびりついて離れなくなるような、そういう曲だった。

曲の批評なんて高校生になった今でもできないけれど、初心者に吹かせるような楽譜でなかったことだけは確かだ。

演奏中の俺はとにかく必死だった。様々な音符が濁流のように容赦なく押し寄せてくる。あっぷあっぷと音符で溺れかけながらもどうにか演奏を終え、汗をぬぐった俺はもう最高の気分だった。

「どうだ！ うまかっただろ！」

「わかった、じゃあ次の曲」

称賛の言葉を待つ俺に対して、そいつは拍手の一つもせずに別の楽譜を差し出してきた。

その後、俺たちが仲良くなれたのは今では不思議なことだと思う。

俺とあいつの性格がうまく嚙み合ったのか、それとものちに『夜に日は暮れない』という名がつけられたその曲を気に入ったおかげなのか、それはもう俺自身にもわからない。十年以上前の自分なんてのはもはや他人みたいなものだ。

ともかく、レッスンに通っているうちに俺とそいつは仲良くなった。

俺は次々と持ち込まれる手製の楽譜を演奏するべくトランペットの練習に打ち込み、そいつは飽きることなく曲を作っては無茶苦茶な楽譜を俺につきつけてきた。

そうして月に一度、練習した曲を演奏する。

二度目の演奏からは観客にそいつの妹が増えた。なにを話したかはあまり覚えていないけど、年の割にしっかりとしていて、変人の兄とはあまり似てなかったのは覚えている。

その妹と入れ替わるようにして、子どもの邪魔をしないようにと気をつかったのか先生は小さな演奏会に顔を出さなくなった。

作曲者と演奏者と観客。たった三人だけの演奏会は、何年もずっと続いた。

一人が永遠に欠けてしまう、その日までは。

作曲者の名前は中井恭介。

さっき会った少女の兄で、中二の冬に事故で死んだ幼馴染《おさななじみ》だ。

＊＊＊

配達を終え、バイクを返した後、俺は自分の自転車を押しながら町をのんびり歩いていた。

時刻は午前四時半。この時間こそが一日のうちでもっとも自由な時間だ。

だからバイト先から自宅までの道中は大きく遠回りをして、鴨川《かもがわ》の河川敷《かせんじき》を歩くことにしている。

労働後の心地よい疲労感と解放感に浸りながら、鴨川の流れに沿うようにして歩くのは気分がいい。あえて自転車に乗らないのはこの時間を長く楽しむためだ。

この遠回りには、気分転換以外の目的もある。

河川敷といえば大きな音を出してもあまり気にならない場所なので、楽器の練習をする定番の場所の一つだ。

まだ日の昇らない河川敷では川の流れる音と共に『きらきら星』が聞こえる。トランペットの音色だ。俺は邪魔をしないようにそろりと近づき、様子をうかがう。

トランペットを手にしているのは同い年くらいの女の子だ。

真っ黒な前髪が目元を隠すように伸びている。かなりの厚みがあり、そのせいで視線がわかりにくい。さらに長袖の制服を身に着け、足は真っ黒なタイツを穿いているため、肌の露出もほぼない状態だ。

ちなみに制服は俺が通っている高校のものだが、今のところ学校で彼女を見かけたことはない。多分これからもないはずだ。

「おはよう」

音が途切れるのを待って声をかけると、銀色のトランペットを構えていた少女が振り返る。

「おはようございます」

出会った頃は声をかけるたびに驚かれていたが、今はもうすっかり向こうも慣れた様子だ。

彼女と出会ったのはバイトを始めてすぐの頃だった。鴨川の河川敷を歩いて帰る道中、不意に聞こえたトランペットの音に俺が吸い寄せられたことがきっかけだ。

彼女の演奏は正直に言うとさほど上手ではなかった。

音の出し方も指の運び方も、まるで楽器を始めた頃の自分を見るかのような拙さだ。出す音を間違えたり、つっかえてしまうことも度々あった。

だからこそ、ここでこっそり自主練をしてうまくなりたいという気持ちはよくわかる。俺も昔は河川敷でトランペットを吹いていた。夏は大量の虫に阻まれ、冬は寒さで指先が動かなくなるので、たびたび挫折したんだけど。

その点、彼女は暑い日も寒い日も天気が悪い日もここで練習を続けている。

練習の邪魔をしちゃ悪いと、以前はそれとなく離れたところで演奏を聴いているだけの不審者となっていたが、あるとき向こうから声をかけてきた。

「私の演奏、どうでしたか？」

初めて話したときと同じ質問を彼女は久しぶりに口にする。かつてはオドオドと、今はそれに比べるとだいぶ落ち着いた様子で。

誰かに感想を伝える、というのは意外と難しい。言葉が少ないと雑に答えているみたいだし、多いとなんだか偉そうに聞こえる。

「俺は好きだよ」

迷った挙げ句、こちらも以前と同じように答えた。

実際、彼女の演奏は今でも音が切なくよれてしまうことがあるし、ロングトーンは苦しげだ。

でも楽譜を丁寧に読み解くような穏やかな演奏は、聴いている人の気持ちを解きほぐす優しさが感じられる。

食べものにたとえるなら、遠足のときに母親が作ってくれたお弁当のようなものだ。うまいとかまずいとか、そういうことの関係ない位置にある。ただひたすらにステキなものだ。

俺の答えに対して、彼女は口元に薄く笑みを浮かべた。

「なら今日も聴いてください」

彼女は再びトランペットを構えると『きらきら星』を演奏し始める。

出会ってから二年以上が経つ今でも、俺と彼女は互いに自己紹介すらしていない。名前も素性もまったく知らないままだ。そのせいか、ここにいる間はなんだか自分が別人になった気分でいられる。それが好きだった。

彼女と過ごすのはいつもたった三十分ほどだ。

それでもバイトや学校と同じくらい、俺にとっては重要な日常の一部だった。

「吹奏楽部に入ってください」

朝、いきなりの勧誘だった。始業前の教室で突きつけられた言葉には既視感しかない。

昨日と違うのは俺の机に手をついているのが、同級生の大石ではなく新入生の中井妹であるという点だけだろう。反対の手には膨らんだ紙袋を持っている。

教室に大石がいないのが俺にとってはせめてもの救いだった。猪突猛進《ちょとつもうしん》な大石のことだから、おそらく今も他の場所で勧誘活動をしているに違いない。

問題は中井妹だ。俺が新入生の頃は上級生の教室ってだけで近寄りがたい雰囲気を感じたものだけれど、中井妹には物怖《ものお》じする様子がない。

「吹奏楽部で兄さんの曲を演奏するためには相馬さんの力が必要なんです」

「今朝もそんなこと言ってたな」

大石からの勧誘であれば何度だって断ることもできるが、相手が中井妹となるとそうもいかない。小学生だった頃の中井妹を知っているせいだろう。そのときの感覚が抜けなくて、どうも無下にはできない。できる範囲でなら要望を叶《かな》えてやりたいとさえ思ってしまう。

もしかしたら中井妹はそれを計算したうえで頼んでるのかもしれないけど。

「もう何年も楽器にさわってないから演奏はできないけど、それでもいいのか？」

「それは……」

中井妹はどこか不満そうに黙り込んだが、やがて気持ちを切り替えるようにゆっくりとうなずいた。

「協力してくれると約束していただけるなら、今はそれでも構いません」

今は、か。少し気になる表現だけど、とりあえず一旦話をまとめることを優先する。

「わかった。なら入部して、雑用くらいはお手伝いするよ。人手不足みたいだからな」

バイトと部活の両立は大変そうだ。想像するだけでめまいがする。

だけどこれで丸くおさまるというのなら、やむをえない。

中井妹が俺になにをさせるつもりかは知らないが、演奏をしなくていいなら気楽なものだ。楽器の運搬を手伝うくらいだろう。

「ありがとうございます。では早速、具体的な話に移りたいのですが」

「その前に確認したいんだけど、恭介が合奏曲を作ったことなんてないよな？」

俺の知るかぎり恭介は独奏曲しか作らなかったし、そもそも合奏が好きではなかった。およそ吹奏楽部とは相性の悪い作曲者である。少なくともあいつの楽譜をそのまま吹奏楽部で演奏することはできないはずだ。

「その点はこちらの楽譜を見ていただければわかります。どうぞ、ご確認ください」

中井妹が持参してきた紙袋を机に載せる。ズンと重い音がした。

「それ、やっぱり楽譜だったのか」

教室に現れたときから気になっていたが、さすがに準備がいい。俺を説得する自信があったのか、それとも断らないとわかっていたのか。どちらにしても同じことだ。

紙袋の中にはぎっちりと楽譜が詰まっている。ものすごい枚数で数える気にもなれない。

「枚数、多くない？」

「ですが、これでもほんの一部分です。楽譜のすべては持ってこれませんでした」

淡々と話す中井妹は冗談を言っている様子には見えない。本気でこれが一曲の楽譜の、しかも一部分だと言うつもりだろうか。

仕方なく適当に何枚かを取り出して確認する。

楽譜はたしかに吹奏楽形式で書かれた合奏曲のようで、癖のある形の音符は恭介の書いたものだ。あいつの音符には丸みが少なくて、どの演奏記号もカクカクとしている。

信じがたいが恭介が合奏曲を作ったのは本当なのだろう。だけど。

「俺はこんな曲知らないぞ」

恭介の作った曲はもれなく演奏してきたつもりだ。数が多いためその全てを覚えているとは言えないが、これが見たことのない楽譜だということはわかる。

「そうでしょうね。これは兄の遺作ですから」

「ああ……たしかにそれは知らないな」

部屋を訪ねると、恭介はいつも背中を丸めて五線譜に向かっていたし、最後に会ったときもそれは同じだった。

あのとき書いていた曲を俺は演奏していない。

「相馬さん」

紙袋越しに真剣な顔をした中井妹の顔が見える。不思議と息が詰まった。

「これが兄の作った最後の曲『真空で聞こえる音』です。それと補足情報なのですが、この曲の演奏時間はおよそ三十六時間です」

「え？」

変な数字が聞こえた気がした。

「ごめん、もう一回言ってくれる？　演奏時間がなんだって？」

「およそ三十六時間です。なので演奏には単純計算で一日半かかることになります」

聞き間違いじゃなかった。

「へー、そうなんだ。そりゃすごい曲が残ってたもんだ、感心するよ。で、吹奏楽部で演奏しようとしてる曲っていうのはどれなんだ？」

「ですから、これですよ。『真空で聞こえる音』を最初から最後まで途切れることなく演奏します。タイミングとしては文化祭が適切でしょうか」

「いやいや、さすがに無茶だろ」

「しかし、すでに相馬さんは協力すると約束してくださいましたよね」

「こんな規格外の曲だとは知らなかったんだよ。俺はてっきり三分くらいの曲を演奏するのかと思ってたんだ」

恭介の作った曲は大体どれもそれくらいの長さだ。文化祭で吹奏楽部が演奏する時間は一時間くらいだろうから、その中の一曲に恭介のものを組み込むための相談、という話になると思っていた。

だから中井妹の頼みを断るよりも、さっさと受け入れて片付けてしまったほうが楽だと判断したのに、これでは話が違う。

「ですが約束は約束ですから、これから三十六時間の演奏実現に向けてご協力をお願いいたします」

詐欺みたいな話だ。俺は背もたれに身をあずけて、天井を見上げる。

三十六時間の合奏曲。

しかもそれを人数不足の吹奏楽部で演奏する？

中井妹の要求は無茶苦茶だ。なにより恭介の作った曲が破茶滅茶だ。俺には理解の及ばない世界を感じる。

そんな中であいつの楽譜に苦労させられる感覚だけは懐かしくて、うんざりした。

普段どおりではないということはそれだけで調子が乱れる原因になる。

ペースを乱されたままでは良くない。俺はつとめていつもどおりに過ごすことで調子を取り戻すことにした。

精神的に疲れてはいたが、ちゃんと元気に授業を受けたし、寝坊することなく早朝のバイトも無事にこなした。そして帰り道は遠回りをして鴨川の河川敷を通る。いつもどおりだ。

しかしやはり中井妹の要求が響いていたのだろう。

配達のリズムが狂ってしまい、余計な時間がかかってしまった。そのせいで河川敷に立ち寄る時間もいつもより遅くなってしまったのだが、さいわいにもトランペットの音はまだ聞こえた。音色でいつもの彼女だとわかる。

中井妹と話したせいか、トランペットの音でどうしても昔の記憶を刺激されてしまう。

恭介は俺の演奏を一度も褒めることがなかった。かといって不満や文句を口にしたこともない。どんな風に演奏しても、あいつはまるで確認作業をするかのようにうなずくだけだった。

こんなことを今さら思い出すなんて、よほど恭介の遺作は俺にとっても衝撃的なものだったらしい。それが今でもまだ響いている。

ちょうど演奏を終えたトランペットの残響と同じように、まだ頭の中に残り続けていた。

「あ、おはようございます」

知らぬ間に立ち止まっていたせいで、今日は向こうが先に挨拶をしてくれる。

「おはよう。突然だけど『きらきら星』って演奏時間は何分くらいあるんだろう」

「えっと、私が吹いているこれは二分くらいだと思います」

「そうだよね」

大抵の曲は数分で終わるものが多い。交響曲だって三、四十分、あの有名なベートーヴェンの第九だって最初から最後まで演奏しても一時間程度だ。そもそもなにをするにしても、三十六時間連続でとなると苦行になってしまうだろう。

「ところで演奏時間が三十六時間もある曲って、どう思う？」

「三十六分じゃなくて、三十六時間ですか？　えぇっと……なんていうか、どうやっても一日では演奏できないっていうのは、すさまじいですね」

河川敷の彼女もすっかり驚いた様子だ。この常識的な反応が嬉《うれ》しい。

「しかも合奏曲なんだ」

「あの、それって演奏できるんですか？」

至極まっとうな意見だ。俺もまったく同じことが知りたい。

「どうなんだろう。ちなみにこれくらい長い曲って、他にもあるのかな」

「私が知ってる範囲だと、エリック・サティの『ヴェクサシオン』という曲は演奏するのにおよそ十八時間かかるそうです。他にも楽譜だけなら何百年もかかる曲や、そもそも永遠に繰り返し続ける曲もあるって、前になにかで読んだことがありますね」

「作曲家っていうのはすごいなぁ」

呆《あき》れや恐怖を通り越して、もう感心することしかできない。恭介もかなり変なやつだったと思っていたが、歴史上にはもっとすさまじい曲を作った人がいるらしい。

「そういうのを聞くと、三十六時間っていうのも短く感じるよ」

「いえ、生身の人間が演奏するという点ではかなり難しいと思います。演奏時間が規格外に長い曲は大抵一度も演奏されていないか、コンピューターが処理しているものがほとんどですから」

「じゃあさっきの『ヴェクサシオン』っていうのは？」

「複数の演奏者が交代して演奏したことがあるそうです。でもこれは合奏曲ではありません」

独奏曲ならば十人もいれば、交代で演奏を続けることができるのかもしれない。

それでも十分大変だろうが、恭介の遺《のこ》した曲はあいにく合奏曲なのだ。必要になる人数は膨れ上がる。

「ところで、その三十六時間ある合奏曲がどうしたんですか」

「ああ、実はさ――」

あくまで笑い話として『真空で聞こえる音』について話そうとする。

しかし時間が遅かったようだ。

まばたきをした一瞬で、少女も、彼女の持っていたトランペットも、なにもかもが俺の前から消えていた。

まるで夢のように、と形容するしかない。

東の空からはかすかに朝日がさしている。原因はこれだ。

俺はこれまでに何度か似たようなことを経験している。

夜明けと共に消えるのは彼女だけではない。バイト中に見かけた様々な服装の人たちも朝日によって見えなくなる。

いわゆる幽霊みたいなものなんだと、俺は勝手に思っている。あるいは妄想や幻覚か。たとえどれだったとしても、それほど違いはないだろう。

この四年で俺の世界は変わった。

恭介が死んで、トランペットをやめて、高校に進学して、バイトを始めて、そして暗い間にだけ見えるものが増えた。

その日々が成長なのか、退化なのかはわからない。だけど少しずつこの生活リズムが身体に馴染《なじ》んできていた。

俺はまだ夜が明けきらない間にしか見えない、あの景色が好きだ。

この河川敷でトランペットの音に耳を傾ける時間も好きだ。

だけどもし恭介の作った『真空で聞こえる音』を本気で演奏するつもりならば、その実現のために忙しくなる。この河川敷で過ごせる時間も短くなるかもしれない。

それは少し困る。

恨みがましく東の空を見上げながら、俺は一人でそんなことを考えていた。

昨日の約束だけを残して

もし中井恭介がなにかの天才だったとすれば、人を怒らせる天才だったのではないかと俺は今でも思っている。

あいつはたしかに独特の曲を作ることはできた。反対に言うとそれ以外はなにもできない、あるいはしないやつだった。

良い曲を思いついたからと約束を破ることは少なくなかったし、ルールを重んじることをしなかったからあいつの学校生活は混沌《こんとん》としていた。同級生よりも教師と揉《も》めた回数のほうが多いに違いない。

恭介は楽器を扱えなかった。一応何度か挑戦してみたらしいが、自分にはその能力がないとすぐに見切りをつけてしまったらしい。

「楽器は多少練習したところで僕がイメージした音を出してくれない。その点、楽譜は優れている。ペンと紙さえあれば想像通りの音を出す。偉大な発明の一つだ」

恭介に言わせれば、偉大な発明はこの世に三つしかないらしい。

一つは楽譜。楽器を使わなくても、想像した音楽を出力できるのが素晴らしいと恭介は何度も語っていた。

もう一つはバス。あいつは外を歩くのを嫌っていたから、よく公共の交通機関を利用していた。特にバスはあの降車ボタンが良いと褒めていたのを覚えている。

そして最後の一つがアイスクリームだった。

恭介は人を怒らせてもなんとも思わないようなやつだったが、妹を怒らせた場合だけは困り果てていた。

五線譜を買ってくるのも、ペンを補充するのも、明日の学校の用意も、すべて中井妹が代わりにやっていたからだ。

恭介が日常のノイズに悩まされずに作曲を続けるためには、彼女の助けがなにより大切だった。

しかし恭介は他人を慮《おもんぱか》ることができない。不用意な一言で寛大な中井妹を怒らせることも、年に二回くらいはあった。

そういうときに恭介は唯一自分の足で出かけ、近くのコンビニでアイスクリームを買って帰ってくる。

それを貢物にすれば妹の機嫌が良くなると知っていた。

だからあいつはアイスクリームこそがこの世でもっとも偉大な食べ物であると信じていたようだ。

俺に対してまでお詫《わ》びのアイスクリームを渡してきたときには、さすがに怒る気持ちも萎えて、笑ってしまったけど。

そんなどうでもいいことは今でも覚えていた。

＊＊＊

「演奏の実現に向けて、まずは入部届を書いてもらいます」

朝、階段の踊り場で中井妹はそう言った。

本当はまた教室に来たのだが、クラスメイトや友達に詮索されるのが嫌で場所を変えてもらったのだ。

記憶に残る中井妹はまだ小学生だった。髪型こそ当時とあまり変わっていないが今の淡々とした様子を見るかぎり、もうアイスクリームでは買収されてくれそうにない。

「それくらいは書くよ。で、次はなにをすればいいんだ」

「まずは吹奏楽部に対する交渉からですね。文化祭で『真空で聞こえる音』を演奏することについてはまだ提案もしていないので」

「そこからか。難航しそうだなぁ」

演奏実現に向けた第一歩は、吹奏楽部の説得から始まるらしい。

そもそも中井妹が俺に押し付けてきているのは無理難題だ。

三十六時間の演奏を実現する方法なんて思い浮かばない。少し検討してみただけで問題が山積みだとわかる。

まずは場所。

体育館の舞台を三十六時間も専有できるわけがない。音楽室なら使えるかもしれないが、文化祭期間中でも夕方には門が閉まる。途切れることなく夜間も演奏を継続するなら、演奏する場所をどうするかが問題だ。

次に人員。

本気で三十六時間の合奏をやるなら、交代で演奏することを考えなくてはならない。そうなると演奏に必要な人数が膨れ上がる。何人いれば十分なのかはわからないが、少なくとも十人しかいないという、現在の吹奏楽部の人数では絶対に足りない。

そして練習時間。

文化祭は毎年九月の初旬に開催されることになっている。今は四月末だから、仮に今すぐ練習を始めるとしても期間は四ヶ月と少し、やや心もとない。三十六時間の曲を演奏するつもりなら、練習時間はどれだけあっても足りないくらいだ。

おそらく、指摘するまでもなく中井妹はこれらの問題をすべて把握しているに違いない。

それでもやるというのだから、わざわざ嫌なことを言う必要もないだろう。どうせならうまくいきそうな要因を探してみることにした。

「大石なら快諾してくれるかもしれないし、試しに一回頼んでみるか」

「相馬さんは大石部長と親しいんですか？」

「去年と今年、二年連続で同じクラスだから接点はあるよ。吹奏楽部の部長をやってるのは知らなかったけど」

大石は男女の分け隔てなく、誰に対しても気さくに話しかけるタイプの女子だ。行動力と活力にあふれているので行事などではクラスの中心に立つことも多い。

ただし、勢い任せというか考えなしなところもある。

去年の文化祭も「みんなで巨大プリンを作る！」と決めたところまでは良かったが、予算や容器などはまったく考えてなかったため、その後苦労させられた。最終的に、それほど大きくもないプリンができた。

そんな大石が部長なら、勢い任せに三十六時間の演奏を快諾してくれるかもしれない。楽観的な考えが消えないうちに、壁を机代わりにして入部届に名前を書き込む。

「書けましたか。では音楽室まで提出しに行きましょう。この時間いつも大石部長はそこで朝練をしていますから」

「大石に渡すだけなら教室で会ったときに渡しておくけど」

「こういうのは少しでも早いほうがいいんです」

おそらく中井妹は俺が入部届を提出する場面を見届けたいのだろう。目を離した隙に丸めて捨てると疑われているのかもしれない。

始業まではまだ三十分くらいある。音楽室に行くだけなら大した手間でもないので、素直に従うことにした。

「それにしても朝練か。人数が少ないって聞いてたけど、意外と熱心に活動してるんだな」

「いえ、そうでもありません。朝練は自由参加で、やっているのは部長ともう一人の先輩だけですから」

あまり厳しい部活ではなさそうだ。良かった。

音楽室は廊下の突き当たりにある。扉は開いたままになっているが、中から楽器の音は聞こえてこなかった。

「部長は本当にコンクールに出場するつもりなんですか？」

演奏の代わりに聞こえてきたのは硬く、神経質な声だ。こっちにまで緊張が伝わってきそうな響きがある。

俺と中井妹は顔を見合わせた。音楽室からは立ち入りがたい空気がただよっている。中井妹もそれを察したようで、無遠慮に踏み込むことはしなかった。

そっと部屋の中を覗《のぞ》き込む。

音楽室では部長の大石と、もう一人の部員が話をしていた。面識はないが、彼女がおそらく中井妹の言っていた朝練をしている先輩なのだろう。まったく見覚えがないのできっと二年だ。

「私は部の目標設定に疑問があります」

後輩の言葉に大石が顔をしかめる。対する下級生の女子は目をそらさずに対峙していた。眼鏡の奥の目は大石をまっすぐ見据えている。

恐ろしい緊張感だ。背景に竜と虎が戦っている幻が見えて、がおーという咆哮《ほうこう》が今にも聞こえそうである。そういえば竜ってどんな鳴き声なんだろう。

「コンクールに出て全国を目指すのが、そんなに変？」

大石の発言を聞くかぎり、吹奏楽部はコンクールに出場する予定のようだ。

だとしたら、早速『真空で聞こえる音』の演奏計画は暗礁に乗り上げたことになる。コンクールに出るならその練習で手一杯になるだろう。文化祭のためだけに『真空で聞こえる音』を練習している暇はない。

一方、後輩はそれに反対しているようだった。

「現実的ではありません。少人数部門に出場するという話ならともかく、全国出場となると非現実的です」

「A部門に最低人数の制限はないでしょ」

吹奏楽部が目指すコンクールにはいくつか部門があって、全国大会はそのうちA部門にしか用意されていない。このA部門は高校生だと五十五人以下という人数制限がある。以下、という制限なのでもちろん十人でも二十人でもエントリーすることはできる。この点で大石の発言は間違ってはいない。

だが他の学校は五十五人という上限いっぱいで編成してくるだろう。音量でも、音の厚みでも、人数の少ない編成で大人数に勝てる可能性は限りなく低い。

しかも全国に出場するためには、京都大会を乗り越え、さらに関西大会を突破しなければならない。並み居る強豪校をたった十人の部員で打ち破るのは、後輩の言うとおり不可能に近い絵空事だ。

「仮にこれから勧誘が成功しても、三十人に届けばいいところでしょう。それに、頭数だけ揃《そろ》えても意味はありません」

これも後輩の意見が正しい。

勧誘が大成功して部員数が五十五人を上回ったとしても、それで解決とはならない。

なぜなら吹奏楽部は合奏をする部活だからだ。

合奏とはそもそも成立しない音楽だと、死んだ幼馴染の恭介が言っていた。

一つの楽器でも楽譜通りに演奏することは難しい。

それを複数人で、しかも違う楽器を扱って音を合わせるなんてことはできるはずがない。たとえできたとしても、それは楽譜が本来意図した音楽と異なるものにしかならない、とそんなことを言っていた。

だからあいつは一度も合奏曲を作らなかった。

例外は遺作となった『真空で聞こえる音』だけだ。

あいつの言葉がすべて正しいとは思わないが、音を揃えて演奏することが難しいということに関しては間違っていない。

「もしもコンクールに出場するなら、京都大会で銀賞を取ることを目標にするとか、そういった方針のほうがまだ現実的です」

「なにそれ。目標を高く持ってなにが悪いの」

もちろん全国出場を目指すだけなら自由ではある。俺が今から野球部に入って甲子園を目指す、と言い出すのと同じくらい現実味がないというだけだ。

大石の不機嫌な態度に後輩は一度言葉を詰まらせる。

だが、結局引かないほうを選んだようだった。

「みんなで演奏するだけなら、必ずしもコンクールにこだわる必要はないと思います」

「ようするに、コンクールに向けて必死で練習するのが嫌ってことでしょ。努力せずにぬるく部活をやりたいってだけの話じゃない」

「そういうことでは――」

「気に入らないならやめれば」

あ、とうっかり声が出そうになってしまう。

ケンカのときでも言ってはいけない言葉はある。

「そうします」

下級生の女子がこっちに向かってきたので、俺と中井妹は慌てて扉の陰に身を隠した。早足で音楽室から出てきた後輩は、脇目もふらずにそのまま廊下を進んでいってしまう。

話し合いは終わったようだが、今の大石に話しかける勇気はない。中井妹も同じ判断をしたようで、俺たちは再びさっきと同じ階段の踊り場に戻った。

「チャンスですね」

踊り場につくなり、中井妹は涼しい顔で言った。まったく同じ状況を見てきたはずなのに、抱いた感想は真逆のようだ。

「どこがだよ。さっきの様子を見るかぎり、まともに合奏すらできそうもなかったぞ」

あれでは三十六時間の演奏どころか、最初の一音を揃えることさえできないだろう。

「ですがさっきのいざこざを利用すれば、コンクールではなく文化祭での演奏に集中するという方針になるかもしれません」

「仮に吹奏楽部が文化祭に集中するとしても、あんな常識はずれの曲を演奏するとは限らないだろ」

文化祭では観客受けのいい有名な曲を演奏するのが通例だ。少なくとも中学の吹奏楽部ではそうだったたし、高校の文化祭で何度か見かけた演奏も同じだった。

「そこは交渉次第でしょう。よろしくお願いします」

「やっぱり俺が交渉するのか」

「大石部長を説得するなら、新入生である私よりも相馬さんのほうが適任でしょう」

たしかにさっきの大石に、後輩の意見を受け入れる柔軟さはなさそうだ。

あんなに意固地なやつではないという印象だったが、普段と部活中ではまた違うのだろう。

「相馬さんの手腕に期待しています」
「任せとけ。期待を裏切るのは得意だ」
冗談交じりに返事をしながら、俺は大石にどう話しかければいいのか考えあぐねていた。

授業中、俺は廊下側の席にいる大石の姿を盗み見る。今現在は不機嫌ではなさそうだが、今朝の揉め事を忘れたわけではないだろう。そこを突っつくには勇気が必要だ。それにしても、今日は覗きの真似事《まねごと》ばかりしている気がする。なんだか嫌になって、俺は目を閉じた。

授業中の教室は様々な音にあふれている。眠気を誘う心地よい先生の声。チョークが黒板と触れ合う音。シャーペンがノートをひっかく音も聞こえる。そのどれにもリズムがあって、それらすべてが同じ空間に詰め込まれている様子はにぎやかだ。こういった音もうまく重ねることができれば一つの音楽になる。それができなければ、取るに足らない雑音のままだ。

合奏も似たようなもので、違う人間の出す異なる音を一つにまとめなければ、音楽にはならない。

大石と後輩の衝突を見て、思い出したことがある。

俺がかつて所属していた中学の吹奏楽部も雰囲気はあまり良くなかった。コンクールを目指す部の空気はいつも張り詰めていて、先輩も顧問も怖かったことを覚えている。

それでも吹奏楽部を続けていたのは、やっぱり合奏が楽しかったからだろう。中学に入るまでの俺は独奏しかしたことがなかった。だから吹奏楽部で合奏を体験したときは、とても新鮮で胸が高鳴ったのを覚えている。

独奏が退屈だと言うつもりはない。だけど合奏は他の人と音を重ねることによって、自分には出せない音が出せる。様々な音を束ねることで、一つ一つの音からは想像もできないような音楽が生まれる。

もちろん音を合わせるのは簡単じゃない。同じトランペットパートでさえ難しいのだから、指揮者なしでは他の楽器と合奏するなんて不可能だ。指揮者がいても苦労する。

それだけに音が揃ったときの達成感は忘れられない。何度繰り返してもできなかった部分の音が、うまく合わさったときの気持ちよさも。だから部の雰囲気が悪くても耐えることができた。

でも自分以外の誰かがいるというのは、必ずしもいいことばかりでもない。

どれだけ頑張ったところで、人に制御できるのは自分一人がせいぜいだ。それさえままならないのに、他の人と協力して大きなことをやるというのは並大抵のことではない。

中学の頃の俺はそれがわかっていなかった。だから恭介とケンカすることになってしまった。

ケンカといっても怒っているのは俺だけで、あいつはいつも俺がなにを問題にしているのか、わかっていないような顔をしていた。

そんないつもの一方的なケンカの最中に、あいつは死んでしまった。

あいつの葬式で見かけた中井妹の姿は今でも鮮明に思い出せてしまう。だからこそ、今の元気な姿を見ると多少は安心した。たとえ無理難題を押し付けられても、あのときに比べれば今のほうがいい。

「相馬、答えてみろ」

「あ、はい」

先生に名前を呼ばれて俺は立ち上がる。半分寝ていたのかもしれない。さっきまで存在しなかった数式が黒板に出現していた。

結論として、大石にどう話しかければいいのかはわからない。あとこの問題の答えもわからない。困った。

昼休みになってしまった。

俺はまだ大石に話しかけるきっかけを摑めずにいる。笑い話をするためなら気軽に声をかけられるが、今回はそうじゃないので難しい。

どうするかなぁ、と考えながら教科書を片付けていると、大石のほうからこっちに近づいてきた。

「今朝、音楽室の近くをウロウロしてたでしょ」

「え、バレてた?」

「あれで隠れてるつもりだったの? 二人とも、しっかり見えてたけど」

こちらは隠れているつもりでも、相手からは案外見えているものらしい。迂闊《うかつ》だった。

「なにか、あたしに用があったんじゃないの?」

「あー、実はさ」

せっかく向こうから話しかけてくれたのだから、このチャンスを逃す手はない。

三十六時間もある『真空で聞こえる音』を演奏してくれないかと提案してもいいし、後輩と仲直りして部の雰囲気を改善するように促してもいいわけだ。

でも一つに絞るなら、このへんかな。

「コーヒーと紅茶、どっちが好きかって訊こうと思って」

まずは場を和ませる選択肢を選んだつもりだったが、大石の顔つきは険しくなった。クラスメイトのことを、そんなに冷たい目で見ることはないんじゃないか。

「相馬っていつもふざけてるよね」

「実はそうなんだよ。子どもの頃からよく茶化して親や先生に怒られてた」

「想像つく」

そう言って大石は呆れたように笑った。

「私は水しか飲まない。少なくとも吹奏楽部を引退するまではね」

じゃあね、と言って大石が離れていく。友達と昼食を取るようだ。

千載一遇の機会を棒に振ってしまったので、俺も学食でお昼ごはんを食べることにしよう。

そういえば、また入部届を提出するタイミングを逃した。渡せなかったラブレターみたいに制服のポケットの中でどんどん熟成されていく。

「あの、すいません。相馬先輩、ですよね」

教室を出て、廊下を歩いていると不意に声をかけられた。

誰かと思えば、今朝大石とバチバチにやりあっていた女子だった。

「私、二年の宇佐見志保《うさみしほ》です。先輩のことは一年の中井から聞きました。吹奏楽部に入ってくれるそうですね」

「うん。入部届はまだ出してないけど」

普通に受け答えをしているが、状況はまだ飲み込めていない。なぜ宇佐見は俺に声をかけてきたのだろうか。そして中井妹はどういうつもりなのだろう。宇佐見に俺の存在をわざわざ伝えたのには、なにか狙いがあるはずだ。

「相馬先輩はどうして今さら吹奏楽部に入るんですか」

「え、もしかして歓迎されてない？」

「そうではありません。でも三年生は受験勉強で忙しくなるんですよね。他の先輩たちはみんなそう言って引退しましたよ」

「そうなんだ。意外だな、大体夏までは部活を続けるもんだと思ってたよ」

もし吹奏楽部が全国大会に出場するとなれば十月末まで引退は遅れる。そうなれば受験勉強に響くのは間違いない。

といっても、それは全国に出場できるような吹奏楽部の場合だ。大抵は県大会か、あるいは文化祭で引退になる。なんにしても春先に引退するのは気が早すぎる。

ということは、おそらくなにか揉め事があったのだろう。

「先輩はコンクールのこと、どう思ってますか？」

「俺は特になにも。宇佐見はどうなんだ」

「私はもうさめたんです」

「さめる、って熱が冷めるほう？ それとも目が覚めるほう？」

「どちらでも同じことですよ。去年の吹奏楽部は熱心に活動していました。意欲的な顧問による指導の下、部員一丸となって、これ以上ないってくらいうまくなったつもりだった。それで結果が京都大会で銀賞ですよ。それが最初のきっかけでした」

銀賞が情けない結果だとは思わない。だけどそれは俺の感覚だ。

宇佐見にとってそれは、努力に見合う結果ではなかったのだろう。

「今年、顧問が別の学校に赴任することになったのが最後の引き金です。上級生は早々に引退したし、私の同級生も他の部に行きました」

どうやら吹奏楽部の部員不足は去年のコンクールが理由だったらしい。ほぼ部外者である俺が聞くには重い話だ。

「去年は四六時中練習して、ときには部員同士で衝突もしました。大会を目指す部の雰囲気は最悪でしたよ。ミスがあれば犯人探しが始まって、パート内ですら音が合わなくて。普段は温厚な顧問の怒鳴り声を何度も聞きました」

十分に想像できる。俺が所属していた中学の吹奏楽部はそこまで苛烈ではなかったが、大会を目指している間はたしかに空気がピリピリしていた。

大会での結果を重視する部活動というのは多かれ少なかれギスギスする。

合奏の完成度を高めるためには練習が必要だ。

何度繰り返してもできなければ、指導をする側も苛立《いらだ》ち、部員同士もうんざりする。

そうなると全体練習で特定のパートだけを吊《つる》し上げるような反復練習も起こるし、パート内でもミスがあれば犯人探しや責任転嫁が発生する。

「それでも関西大会に出場できれば、それが無理でもせめて京都大会で金賞を取れれば、まだ良い思い出になったのかもしれません。けれど結果は違いました」

宇佐見の言う通り、コンクールで結果を残すというのは様々な衝突や苦難を乗り越えた先にあるものだ。過程にどれだけの苦しみや困難があったとしても、大会の結果に満足できれば良い思い出に変わる。

反対に、結果が伴わなければそれらが良い思い出に変わることはない。

この吹奏楽部は去年の結果に満足ができなかった。それでまた奮い立つということもあるだろう。だけど、折れてしまったことを責めることはできない。

「それなのに今年も全国出場を目標にするなんて、私には納得できませんでした」

だから今朝、音楽室で宇佐見と揉めていたのか。

「宇佐見はどうしてやめなかったんだ？」

「私は演奏自体が嫌いなわけではないので」

「でも全国出場にこだわるのは反対ってことか」

「去年、顧問と部員が揃っていても勝ち抜くことができなかったんです。それなのに今年も挑むのは、部長の妄執でしかありません。あの人は呪われているんです」

「呪い、か」

想像するに先代の部長から「来年こそは」と言って部を託されたのかもしれない。部員が離れた今でも、大石はその目標を守ろうとしている。それを宇佐見は呪いと表現したのだろう。

「部活動というのはコンクールで結果を出して、誰かに認められないといけないものなんでしょうか。自分たちが演奏を楽しんで、満足できればいいと思うのは怠慢なんでしょうか」

「いや、そんなことはないよ。演奏を楽しむことと、怠けて楽をすることとは違う。だから別に問題ないんじゃないかな」

コンクールでの実績を求めるのも、それ以外の目標を定めるのも、方針が違うというだけでどちらが優れているという話ではないだろう。

今まで通り練習をして、演奏をする。その結果の判断を他の人に委ねないという話なら、それはそれで十分大変そうだ。怠慢とは言えない。

「安心しました。それなら相馬先輩から大石部長を説得してください」

「あー、そうなるのか」

中井妹が宇佐見に俺のことをどう話したのかは知らない。だが、俺の退路を塞ぐために宇佐見をけしかけたことだけは確かだろう。さすがの俺も、こんな話を聞いた後に半端なことはできない。

それにしても中井妹といい、宇佐見といい、同級生というだけで俺が大石を簡単に説得できると思い込んでいるようだ。

残念ながら俺は呪術師でも祈禱《きとう》師でもないので、呪いとやらをどうにかすることはできない。

ただ、一生懸命に生きている人間ほど呪われやすいというのは想像できる。

「よろしくお願いします」

丁寧にお辞儀までされてしまった。

さすがにそろそろ覚悟を決めて、ちゃんと大石と話をするしかないだろう。


放課後、俺は教室を出る大石の前に入部届を掲げて見せた。

「俺、吹奏楽部に入部するよ。だから代わりにジュースを奢《おご》ってくれ」

「どういう交換条件なんだか」

大石は呆れたようにかぶりを振った。

俺は別に喉が渇いているわけではない。部活に行く前の大石を引き止める手段として考えた結果だ。仰々しく「話があるんだ」と切り出すよりも、こっちのほうが気楽に話しかけられる。

「仕方ないから飲み物くらいは買ってあげる」

俺の狙いを知ってか知らずか、大石は頼みを聞き入れてくれた。

自動販売機は校舎の外にあるため、教室を出て一緒に階段を降りていく。放課後の校内はにぎわっていて、明るい解放感が立ち込めていた。

こんな晴れやかな空気の中で暗い顔をするやつはよほどの変わり者だけだろう。

「ほら、これでいいでしょ」

その変わり者である大石が、自販機で買ったミネラルウォーターを投げて渡してくれる。

「え、甘いジュースにしてくれよ」

「吹奏楽部の部員は身体も楽器の一部なの。糖分のあるものなんて、部活の前に飲んじゃダメに決まってるでしょ」

糖分のあるものを摂取した後に演奏すると楽器にあまり良くない、という話は俺も以前聞いたことがある。糖分が唾液と一緒に管内に入ると良くないのはそうだろうが、ジュースだけで絶大な悪影響があるわけではない。気にしない人もいる。けれど、良い影響がないのは確かだ。であれば、演奏前には水しか飲まないというのを徹底するのは間違っていない。

そもそも俺は演奏するつもりはないんだけど、今それを主張すると話がややこしくなるので一旦棚上げにしよう。

「で、なに。話があるんじゃないの？」

やっぱりお見通しだったようだ。今朝、宇佐見と揉めているのを覗き見していたのはバレているので、俺の用件もわかっているに違いない。

「じゃあ単刀直入に言わせてもらうけど、入部するなら楽しい部活がいい。後輩と揉めてるなら、早いところ和解してくれ」

「わかってる」

大石は自分の分の水も買って、それを一口飲んだ。

「相馬もコンクールは無理だって思う？」

「全国を目指すっていうのはさすがに現実的じゃないとは思うよ」

我が校の吹奏楽部が全日本コンクールに出場するのと、三十六時間の演奏とではどちらが現実的だろう。正解はどっちも現実的ではない、だ。

「本当はね、あたしも無理だってことはわかってるの。部員も減ったし、去年までの顧問もいなくなっちゃったしね」

悲しい話だが、高校の部活動というのは生徒の努力次第でどうにかなるものではない。特に吹奏楽部というのは、他の文化部に比べて指導者が重要になる部活だ。運動部に少し似ている。

指導者と設備。まずこの二つが揃っているのが大前提だ。

そこからさらにいくつかの好条件が整うことにより、初めて全国大会を夢見て練習することができる。現状では前提条件すらクリアしていない。

「別に、全国を目指さない吹奏楽部が情けないって言うつもりはないの。でも目標は欲しかった。コンクールに向けて部員が一丸となって過ごす時間は充実してたから」

大石の言うことはよくわかる。

やるべきことが目の前にあると、どうでもいいことを考えている時間がなくなる。それが最大のメリットだ。俺にとっては早朝のバイトがそれにあたるもので、大石にとってのそれは部活動なのだろう。

宇佐見は去年の吹奏楽部に良い思い出がないようだった。一方、大石はそれを充実した日々だったと捉えている。

同じ場所で同じ時間を過ごしたはずの二人が正反対の感想を抱いているというのは、案外不思議でもないのだろう。別の人間なのだから、同じ事柄に対しても受け取り方が違って当然だ。

「部のためには、あたしもさっさと引退したほうがいいのかも」

独り言のように大石がつぶやく。聞き逃せないセリフだ。

「え、じゃあもしかして俺が部長？　やったぜ」

「そんなわけないでしょ、バカ。指名するなら宇佐見にする。それでいい感じの穏やかな部になるだろうし、あたしも受験勉強に集中できるし、万事解決でしょ」

大石は宇佐見のことを信頼しているようだ。

なんだかんだ言っても、信頼関係があるからこそ遠慮なく意見をぶつけ合うことができるのだろう。心置きなくケンカができる相手というのは貴重だ。うらやましくなる。

「本当はもっとちゃんとやめたかったんだけどね」

ちゃんとやめる、というのは聞き慣れない表現だ。ちょっと引っかかってしまう。

「ちゃんとって？」

「だってほら、ずっと楽器を続けられるわけじゃないでしょ？　大学でも続けるかもしれないけど、それだって今はまだわかんないし。だからけじめみたいなのをちゃんとしてから、やめたかったなってこと。でないと未練が残っちゃいそうだし」

その考え方は妙にしっくりくる。特に「ちゃんとやめる」という表現は気に入った。

まさか大石の言葉に感心させられる日が来るとは。

「けじめっていうなら、全国出場はもういいのか？」

「さっきも言ったけど、そんなの絶対無理でしょ。本当はずっとわかってた。不可能でもそれを目指すことに意味があるって思いたかっただけ」

「たしかに難しいよなぁ」

言葉に力が入らず、語尾が伸びてしまう。なくしたものはどうしたってない。できないことは逆立ちしてもできない。そういうつまらない現実はいくらでもある。

俺自身の意見は宇佐見と近い。コンクールにこだわって無理をするつもりはない。

だけど、大石の意志を否定したくもなかった。

大石には確固たる目的があって、そのためにできることをしている。方法や選んだ言葉が正しかったのかどうかはともかく、そのことを否定したくない。

こういうとき、信念や志のある人間ならバシッとかっこいいことを言えるのだろうが、あいにくそうはなれない。だから次に話すことをちゃんと考える。

俺が感じる音楽の美点は、無理に勝ち負けをつけなくてもいいところだ。

優劣をつけることもできるが、別にそれをしなければ成立しないようなものでもない。

一流のオーケストラの演奏にも圧倒されるが、かといって河川敷で耳にする素朴な演奏だって十分に魅力的だ。すべての演奏や音楽に、勝ち負けをつける必要はない。

成績や受験によって、学生の俺たちは生きているだけで優劣や上下がつけられる。

それなら一つくらいは勝ち負けにこだわらないことをしてもいいだろう。

「たとえばの話だけど、コンクールじゃなくてもいい感じの目標があればどうだろう」

大石が求めているのは、目標に向かって団結する充実した日々だ。

そして宇佐見が求めているのは、他者からの評価にとらわれない部活動だ。

それらを同時に叶えるには、なにかコンクール以外の目標があればいい。世間的に評価されることがなくても、熱心に取り組まなくては実現できないような、そういう目標だ。

「いい感じって、たとえば？」

「面白くて、前例がなくて、やる気が出て、無事に演奏できたあかつきにはとびっきりの達成感があるやつ」

「そんなのがあるの？」

ある。

でも、今日この話を口にするつもりはなかった。中井妹の演奏計画が実現の見通しなく頓挫することを心のどこかで望んでいた部分もある。

だけど他に手はない。

「……実は『真空で聞こえる音』っていう合奏曲があるんだよ。今まで誰にも演奏されていない独創的な曲で、演奏時間はなんと驚異の三十六時間だ」

きっと、この提案はうまくいってしまう。口にするタイミングも話す相手も、なにもかもが完璧だ。俺にしてはできすぎている。

話を聞いた大石の目は次第にキラキラと輝き、それと反比例するように俺の気分はくすんでいった。

「それで三十六時間の演奏はどうなったんですか」

早朝のバイトを終えて。

帰り道の河川敷でいつも会う黒タイツの少女は、演奏が落ち着くとそう切り出してきた。

「覚えてたの？」

「あんな印象的なことを忘れたりしません。それに、話も途中になってしまったので」

たしかに昨日は途中で日が昇ってしまったせいで、ゆっくり話をすることができなかった。今日は昨日よりは時間に余裕がある。

「三十六時間の合奏曲を演奏するにはどうすればいいか、って話をしたかったんだ。どんな条件が揃えば実現できると思う？」

「面白い仮定ですね」

俺が彼女との会話で気をつけていることの一つは、踏み込みすぎないことだ。

名前も、家族や学校生活の話も、そして本当に幽霊なのかどうかも話題にはしない。向こうも同じように、俺の個人的なことに関しては尋ねてこない。この距離感は大切にするべきだ。

だから三十六時間の演奏時間がある『真空で聞こえる音』についても、あくまで仮定の問題として取り扱う。

「大人で、お金持ちなら簡単に実現できるかもしれません」

「あ、それはずるいな」

理屈の上ではホールを貸し切って、数百人規模の演奏隊を結成できれば、三十六時間の演奏は可能になるだろう。いったいどれだけの費用がかかるのかは不明だけど、バイト代では足りそうもない。

でも中井妹は今、このタイミングで演奏することを希望している。高校生の俺たちにも手が届く範囲で実現するしかない。なので仮定に条件を加える。

「じゃあ普通の高校生が自分たちで演奏することにしよう。これならどんな方法がある？」

「合奏曲だからまずは一緒に演奏してくれそうな人を集めるところから始めます。吹奏楽部に協力してもらうのがいいでしょうか」

「俺もそう思う」

その案を実行して、ちょうど一歩前進したところだ。

昨日の放課後、俺の話を聞いた大石はそれをさっさと音楽室に持ち帰り、部員たちに提案した。するとあっさり可決。あの宇佐見までが賛同したのだから驚くしかない。

俺はその光景にめまいがして、それ以上部活には参加せず、早々と帰って眠った。

それからバイトをして、今はここにいる。河川敷で過ごす時間が俺にとっては癒しだ。

中井妹の狙い通りに話がまとまり、大石も上機嫌で、宇佐見も不満はなさそうだった。

しかし『真空で聞こえる音』の演奏を実現するまでの道のりはまだ長い。

「でも、その吹奏楽部は人数がすごく少なかったんだ。どうする？」

「えーっと……困りました、すぐには解決策が思いつきません」

「ごめん、ちょっと無茶な条件設定だったかも」

とはいえ、俺の直面している現実はまさにその無茶な状況だ。

演奏実現に向けて一歩前進したのは間違いないが、ゴールまであと何歩残っているのかは数えたくない。

「いえ、面白かったです。それに三十六時間の曲というのも興味をそそられました。それだけ長いと演奏するのも大変ですけど、聴く人も大変ですよね」

「たしかにそうだね」

頑張れば起きていることくらいはできるだろうが、三十六時間というのは集中して音楽を聴けるような長さではない。

そもそも恭介はずっと数分程度の独奏曲しか作らなかった。おそらくそれは、恭介自身が座ってじっと音楽に耳を傾けられる時間の限界が数分程度だったからだろう。

そんなあいつが最後に作ったのが三十六時間もある、しかも合奏曲だという。

恭介はなぜそんな曲を置き土産にしたのか。そもそも演奏させる気があったのか。仮に演奏できたところで、誰も聴くことのできないような曲に、どんな意味があるのか。

考えてもわからないことばかりだ。

「作った人にどんな意図があったとしても、聴いてくれる人が誰もいない演奏は少し寂しい気がします」

彼女の口にした言葉は暗闇に溶けるようにやわらかで、それを聞いていたのはおそらく俺だけだった。

朝、登校するとどこかからトランペットの音がかすかに聞こえた。

校庭で練習する運動部の声や、校内に満ちる早く登校してきた生徒や教師の足音に混じって、トランペットの音色が目立たずに響いている。

これまでもずっと鳴っていたのかもしれないが、意識に止まったのは今日が初めてだ。無意識に足が音のするほうを探してしまう。

そして俺は教室ではなく、音楽室にたどり着いていた。扉は閉まっていたが音は薄く漏れている。

トランペットが奏でているのは『ハトと少年』だ。朝に吹くならこれほどぴったりな曲も他にない。俺も中学の吹奏楽部で同じパートの同級生と競うようにして練習した記憶がある。当時の先輩たちには課題曲の練習をしろ、と怒られたけど。

今聞こえてくる演奏は音階が正確だ。リズムや勢いよりも、正確な音を出すことに意識が割かれている。一気に何羽《わ》も舞い上がるというよりは、一羽ずつ整列して空を舞うような、几帳面《きちょうめん》さが感じられる演奏だった。

扉についた窓から中を覗き込む。

演奏しているのは宇佐見だった。

楽器というのは扱う人によって音が違う。特にトランペットの違いは俺の耳には際立って聞こえる。

宇佐見の音は硬く生真面目で、早朝に河川敷で聴く演奏とはまったく違っていた。おそらくかつての俺の演奏とも違うのだろう。

たとえば彼女たちが恭介の作った曲を演奏していたら、あいつはどう感じたのだろうか。そんなことが脳裏をよぎった。

宇佐見は演奏を終え、構えていたトランペットを下ろす。その視線がばっちりこちらに向いていたので、俺は観念して扉を開けた。

「いい演奏だった」

「朝練のときはこの曲を吹いているんです。しっかり目が覚めるような気がして」

「たしかに──」

俺も目が覚めたような気分だ。

「本当は昨日のうちに言うべきだったんですが、気づいたら先輩は帰っていたので今言わせてください。部長の件、ありがとうございました」

宇佐見は相変わらずの綺麗なお辞儀でお礼を言った。

「相馬先輩のおかげで、部の目標が面白いものになりました」

「大石とはもう和解したの？」

「昨日の昼休みのうちに仲直りしました。大石部長のほうから謝ってくれたので、確執はありません」

昨日の昼休み、ということは宇佐見と俺が初めて話をしたすぐ後に、大石と和解していたことになる。それは全然知らなかった。

「あいつ、謝れたのか」

「はい。今朝はほんの少しだけ言い方が悪かったかもしれないって言ってくださいましたよ」

「それ、ほんとに謝罪かなぁ」

「わざわざ私のところに来てくれただけで十分です」

「宇佐見は大石に甘い気がする」

「かもしれません。部をどうにか引っ張っていこうとしている部長のこと、私はわりと好きですから」

意外と人望もあるらしい。

大石は良くも悪くも単純だから、嫌いになれないというのは少しだけわかる。

「それにしても、まさか三十六時間の演奏が正式採用されるとはびっくりだ」

「それだとまるで相馬先輩はやりたくなかったみたいに聞こえますよ」

宇佐見はほんのりと笑うが、俺としては冗談ではなく偽らざる本心だ。

他にはない、とかそういう言葉に人は弱い。期間限定とか数量限定みたいなやつ。

たしかに俺も好きだけど。

「宇佐見は反対するんじゃないかって思ってた」

「しませんよ。私は努力を惜しんでいるわけではありません。現実的じゃないことにこだわるのが嫌だっただけです」

「三十六時間の演奏ってのも、十分に非現実的じゃないか」

「夜通しやるというならそうですが、朝から晩までなら演奏できる気がします。コンクールを目指して練習していた頃はそれくらい練習していましたから。合宿もやったことありますよ」

恐るべし吹奏楽部。

他の文化部とは鍛えている筋肉が違う。楽器を演奏するためにはそれだけの体力が必要なので仕方ないのだが、それでも恐ろしい。

「それに、楽をすることと楽しむことは別、なんでしょう？」

たしかにそのようなことを聞いた覚えがある。そんなかっこつけたことを言ったのは誰だっけ。あ、俺か。

ともかく、大石のおかげで吹奏楽部は文化祭で恭介の作った『真空で聞こえる音』を演奏することを決めてしまった。

けれど、これで吹奏楽部の協力を得たと考えるのは時期尚早だろう。まだクリアすべき問題は残っている。

「あ、相馬。ちょうどいいところに」

そのとき、大石が音楽室に入ってきた。どこかの空き教室で朝練をしていたのかと思ったが、大石は手に楽器を持っていない。

「ちょっと聞いてよ」

大石は怒っているらしく、眉がつり上がっていた。

「三十六時間の演奏、顧問にダメだって言われた」

やっぱりそうだったか、と思ったけど口に出したら怒られそうなので黙っておく。

吹奏楽部が学校の部活動である以上、顧問の許可と協力はどうしても必要になってくる。

しかし顧問は大人だ。大人というのは俺たちよりも常識が染み付いている。

そんな相手に「三十六時間の合奏を文化祭でやりたいです」と言ったらどうなるかなんて火を見るより明らかだ。

大人は面白そうという理由だけでは動いてくれない。

さすがに顧問の説得は大石のときのようにはいかないだろう。事情をうまく説明する方法さえ思い浮かばない。

やっぱり『真空で聞こえる音』の演奏を実現するのは不可能に思えた。

止まった時間の中で

祖母が亡くなったのは、俺が中学一年生のときだった。

ひどく暑い夏で、セミがしつこく鳴いていたことを今でも覚えている。

俺の演奏を祖母はどう聴いていたのだろう。トランペットに憧れていた祖母を満足させることはできたのだろうか。両親から祖母の訃報を知らされたとき最初に考えたのはそれだった。

「そうか」

教室で会ったとき「レッスンを忌引で休む」と恭介に伝えると、あいつはぼんやりとつぶやいた。

「人は死ぬんだな」

あのときの恭介は、まるでそのことを初めて知ったような表情をしていた。その顔が今でもはっきりと思い出せる。その日の恭介はいつもより口数が少なく、ずっとなにかを考え込んでいる様子だった。

＊＊＊

気持ちを落ち着けるために、ゆっくりと息を吐く。

それから目の前の住宅を見上げた。

二階建ての一軒家、地下には二重扉の防音室がある。白い壁に太陽光が反射して、必要以上にまぶしい。夜に新聞を届けることはあっても、日が高いうちにここへ来るのは久しぶりだ。

明確な用事がなければ一生来ることはなかっただろう。

それがある今でもまだ、逃げ出す口実を探さずにはいられない。

「気分がすぐれませんか、相馬さん」

中井妹が言葉とは裏腹にあたたかみに欠けた口調で声をかけてくる。

せめてもの悪あがきに何度かまばたきをしてみた。目を開けたとき、まったく別の建物に変わっていたらいいなと願ってみたが残念ながら変化はない。

中井家は今も凶悪に、俺を見下ろしていた。

「女の子の家に招かれるって、もう少しドキドキするイベントだと思ってたよ」

「その表情を見るかぎり、十分ドキドキなさっているようですが」

「これはドキドキじゃなくて動悸《どうき》だからね。具合が悪くなるほうのやつだから」

この家を訪れたのは四年前が最後だ。今でも積極的に中へ入りたいとは思わない。

「大した意味はないんだけど、先生は中にいるの？」

先生、つまり恭介の母親にあたる人は、俺に十年間トランペットを教えてくれた恩師だ。

だが恭介が死んでからは顔を合わせていないし、お年賀のやりとりもなし。なにより先生と最後に交わした約束をつい最近、俺は破ってしまった。そんな不義理から、できるだけ会いたくない人物ランキングの暫定トップに君臨している。

それまでずっと会いたくないランキングトップだった中井妹は、俺の問いに淡々と答える。

「いません。今は自宅ではなく外でトランペットを教えています」

「あぁ、そうなんだ」

ほっとしたような、残念なような、どちらともつかない曖昧な感覚だ。

少なくともあの防音室はもう使われていないのだろう。

十年の間、毎週のように触れていたドアノブの感触が手のひらによみがえってくるような気がして怖かった。手のひらをズボンにこすりつけて感傷をぬぐう。

「ねぇ、さっきからなんの話？」

もう一人の同行者である大石が首をかしげる。話に混ざれなくて不満そうだ。

大石には俺と中井家のかかわりをきちんとは話していない。

あくまで作曲者と知り合いで、中井妹とも面識があるという程度のことは説明したが、それ以外のことはわざわざ人に話すようなことでもない。他人の思い出話なんて、聞いても面白くないだろう。

「気にしないでください。さ、中に入りましょうか」

中井妹も長々と説明するつもりはないらしく、大石を促しながら自宅の扉を開ける。

「どんな楽譜があるのか、すごく楽しみ。おじゃましまーす」

大石もさほど気にはならなかったようで、ウキウキとした足取りで中井妹の後ろについていく。俺もできるだけ平静を装いながら、家の中へとおじゃまする。

中井妹は玄関脇の階段をのぼってすぐの扉を開けた。そこは恭介の部屋だった場所だ。

ぱちり、と電気がつけられる。

「うわ」

不気味なものでも見たかのような声を出し、大石が顔をしかめた。実に自然な反応だ。

恭介の部屋は紙で埋まっていた。ベッドの上も、机の上も、本棚も、ありとあらゆる場所が紙に支配されている。まるで部屋の中に雪が積もっているみたいだ。

恭介が生きていた頃と雰囲気がまるで変わっていない。この部屋だけ時間が止まってしまっているようで、それが不気味だった。

「これ、全部楽譜なの？」

「はい。白紙の五線譜も残っていますが、床に積まれているのはそのほとんどが『真空で聞こえる音』の楽譜です」

改めて膨大だ。この一部だけでも外に持ち出した中井妹の根気には敬意を表したい。

「こんなすごい曲を作るなんて、中井さんのお兄さんは才能のある人だったのね」

「はい。兄は毎日のように曲を作っていました。そのどれもが、型にとらわれない独創的な曲ばかりです」

「で、それを演奏してたのが相馬だったんだっけ」

「そうです。いつも熱心に演奏されてました」

「今からだと想像つかない姿ね」

中井妹はどこか自慢気に見える。恭介のことを褒められて嬉しいのかもしれない。

「ねぇ、相馬。あんた、さっきから口数が少なくない？　いつもは余計なことばっかりペラペラしゃべってるのに」

「いや、ぼんやりしてただけ。なぁ、もう帰っていい？　俺がいなくてもいいだろ」

「バカなこと言わないでよ。あんた、ここになにしに来たか忘れたの？」

「もちろん覚えてるけどさ」

なぜ俺たちがこうして恭介の部屋を訪れることになったのか。

それは今朝、学校の廊下で起こったことがきっかけである。

＊＊＊

「何人で来たってダメなものはダメだ」

物理の原義昭《はらよしあき》先生は俺と大石を見るなり、うんざりしたような口調で言った。すでにこの様子だと、大石はよほど無茶な交渉をしたらしい。

原先生は今年赴任してきたばかりの男性教師だ。年齢は三十代くらいだろうか。始業式で挨拶している姿を見かけた程度で、授業を受けたことはない。吹奏楽部の顧問だったことも知らなかった。

なので、どういう人なのかは全然わからない。痩せていて神経質そうに見えるけど、これは俺の偏見だ。あとは白衣がかっこいいな、っていうくらいか。

「常識的な曲ならまだしも、あんなわけのわからない企画を認めるわけにはいかない」

まだ俺が一言も発していないうちから敗色濃厚だ。同行してきた大石が噛み付く前に、状況を小声で尋ねる。

「ちなみに、原先生にはどうやって説明したんだ？」

「ありのまま。文化祭で三十六時間ある曲を、通しで演奏したいんですって」

想像通りだった。

大石は行動力にあふれているが、交渉に関する能力はまるでない。俺に対する勧誘のときもそうだった。いい感じに言えば猪突猛進、悪く言えば考えなしだ。

「さすがにそれは無茶だろ。いきなりそんな常識はずれのことを言って、すんなり受け入れてもらえると思ってたのか」

「あたしはすんなり受け入れたでしょうが」

「そりゃまぁ大石はさ、特別っていうか」

面白いか面白くないか、好きか嫌いか、良いか悪いか。大石は物事をきっぱり原色で塗り分けられるタイプの人間だ。

世の中が全員大石のようであってくれれば話は単純だった。いや、そんな世界は嫌だな。色は多いほうがいい。小学生の頃、百二十八色の色鉛筆を持ってるやつはヒーローだったわけだし。

「せめて演奏時間の問題をどうにかするアイデアとか、そういうのを用意してからでないとさ」

「それを顧問と一緒に考えようとしてたの。それっておかしい？」

「もちろん常識的な範囲でなら相談にはのる」

　俺と大石の密談に原先生が普通の声量で参戦してくる。いくら小声でも目の前でやりとりをされれば、無視するのも楽ではないだろう。気をつかわせてしまったみたいで、なんだか申し訳ない。

「でも今回はあまりにも現実味がなさすぎる。問題が多すぎて数える気にもなれない」

「あー、吹奏楽部って部員が少ないですもんね」

　原先生の機嫌を取るというよりかは、素直な感想として同調しておく。大石がどっちの味方なのかを問うように鋭くにらんできたが、曖昧に笑ってごまかした。

「それだけじゃない。まず場所の問題がある。それに三十六時間も不眠不休で演奏することを、教師として認めるわけにはいかない。そもそも練習時間がどれだけ必要になるんだ。その間に学業がおろそかになるなら、なおさら看過できない」

　こうして他人から演奏ができない理由を突きつけられるのは新鮮だ。今までは俺が中井妹に対して無理だと言う側だった。

原先生は理不尽なことを言っていない。どれも納得できることばかりだ。

「それに知らない作曲家の作った知らない曲なんて演奏しても誰も喜ばないよ。そもそも、三十六時間も演奏したところで聴くことのできる人なんていないだろう」

以前も早朝の河川敷で指摘されたが『真空で聞こえる音』は最後まで聴ける人がいないという、音楽としては致命的な欠陥を抱えている。三十六時間という演奏時間を知った時点で誰もが気づくであろう、明白かつ重大な問題点だ。

「というわけで、文化祭は別の演目を考えたほうがいい。コンクールに参加しない、というのは僕も賛成だ。部活は勉強の合間にある息抜きであって、そっちに時間と労力を割きすぎるのは良くない」

以上、と原先生は話を打ち切って廊下をスタスタと歩いていってしまった。

「相馬はやっぱり役に立たない」

大石がすねた子どものような口調でなじってくる。愛嬌《あいきょう》があって笑ってしまいそうになるが、そうしたら絶対に怒られる。なので真面目な顔をして返事をする。

「あれにどう反論するんだよ」

「反論はしなくてもいいから、どうにかしてあの人をギャフンと言わせてよ」

「うーん、そうだなぁ」

　ギャフンと言わせるかどうかはともかく、演奏を実現させるには顧問の説得は必須だ。手立てを考える必要はあるだろう。

「原先生が問題にしていることの一つは『真空で聞こえる音』が無名の作曲家が作った、誰も知らない曲だってことだよな」

「たしかに、誰も喜ばないみたいなこと言ってたっけ」

「あれはようするに、出来が保証されていないのが問題なんだと思う。無名でも面白い曲だとわかってもらえればその点は解決だ。なら、まずは同じ作曲家が作った、常識的な長さの曲を知ってもらえばいい」

「楽譜を見せて、どれだけ魅力的な曲を作れる人なのかを思い知らせてやるってこと？」

「単に楽譜を持っていったところで、見てもらえるかは怪しいけどな」

　教師は忙しいわけだし、普通に楽譜を渡したところで目を通してもらえる可能性は低い。

　それに当たり前だけど、楽譜と実際の演奏は違う。

　仮に楽譜だけを見てもらったところで、譜面からその曲が持つなにかが伝わるという確証はない。

「わかった、音楽なんだから聴かせればいいってことだ。回りくどいけど、相馬にしてはマシな案じゃん。回りくどいけど」

「二回も言わなくていい」

「だったらまずは別の曲の楽譜が必要ってことだよね。早速、中井さんに貸してもらわなくちゃ」

中井恭介という人間がどういった曲を作るのか。

そのことを相手にわかってもらわなければ、三十六時間の演奏なんて話は門前払い以前の問題だ。それなら、たとえ回りくどくても丁寧に曲を紹介したほうがいい。

もし恭介の曲に人を魅了するような力があるとすれば、これが『真空で聞こえる音』の演奏を実現させる一番の近道だろう。

本当にそんな力があるとすれば、だけど。

＊＊＊

というわけで現在に至る。

恭介の部屋を訪れたのは、原先生を説得するのに必要な楽譜を探すためだ。

俺が同行することになってしまった理由も、困ったことにきちんとある。

「ぼーっとしてないで、相馬も良い楽譜を探してよ。あたしはこの作曲家の実力をわかりやすく示してくれる一曲が欲しいの。それを知ってるのは誰？」

「中井妹」

「いいえ、相馬さんです。演奏したのはすべて相馬さんだけなんですから」

おっしゃるとおり。昔のことだけに変えようのない事実だ。中井妹がそれを大石に教えてしまったので、こうして恭介の部屋まで同行することになってしまった。

仕方なく俺は本棚に目を向けて、検討を始める。

短くて、中井恭介の書く音符と演奏記号がぎっしり詰まっている曲。いくつか思い浮かんでくるが、こういうときは原点がいいのだろう。

「『夜に日は暮れない』でいいんじゃないか」

それは恭介が最初に作った曲だ。そして幼い俺が初めて最初から最後まで演奏した曲でもある。長さは一分程度だ。

「わかりました」

俺の隣を通り抜けて、中井妹が恭介の部屋に入る。そして迷いない手つきで本棚に手を伸ばした。

「どうぞ」

「ありがと。へぇ、オシャレなタイトルね」

楽譜を受け取った大石がファイルの表紙にマジックで書かれたタイトルに指で触れる。

イタズラ心から豆知識を披露したくなった。

「タイトルをつけたのは恭介じゃなくて中井妹だぞ」

「え、そうなの？」

「今から思うとお恥ずかしいかぎりです」

平然とした態度を見るかぎり、特に恥ずかしそうでもない。

恭介は死ぬまでに百曲以上の曲を書いたが、そのどれに対しても愛着をもたなかった。一度演奏を聞いた時点で興味を失う、と言ったほうが正確か。だから自作の曲に名前をつけることもなかったし、楽譜を大事に保管することもしなかった。

それをもったいないと許さなかったのが中井妹だ。そのままにしておくと本当に捨てられかねない楽譜を整理整頓し、ファイルに収めて棚に並べ、一つ一つに題名をつけた。

なんだか変わったタイトルなのは、根本的にネーミングセンスが独特だからだろう。

「ちなみにこれってどういう意味？」

「ことわざを元にしています。もう日が暮れてしまったのだから、急いで帰ることもない。ジタバタせずに落ち着いて物事を進めよう、といった意味です」

大石の質問に対して、中井妹はなぜか俺に視線を向けながら答えた。

もしかしてジタバタするなと俺に言ってるのか。いや、考えすぎかもしれない。

「それと、相馬さん。誤解のないように言っておきますが『真空で聞こえる音』は私ではなく、兄がつけたタイトルですよ」

「恭介が？　ありえない」

「嘘じゃありません。私がこれまで演奏される前に曲名をつけたことがありましたか？」

「ない、けど……」

中井妹が曲にタイトルをつけるのは、いつも俺が演奏を終えた後だった。演奏するよりも先にタイトルをつけたことは一度もない。

もし中井妹の言葉が事実なら『真空で聞こえる音』は唯一あいつが自ら名づけた曲ということになる。にわかには信じがたいが、どうせ今からでは確かめようのないことだ。気にしても仕方がない。

「でもどうするつもりだ？　恭介の作った曲はどれも合奏曲じゃない。吹奏楽部じゃ使えないだろう」

　俺の知るかぎり、恭介は独奏曲しか作らなかった。

　そういう意味でも『真空で聞こえる音』は異例だ。演奏時間の長さ以上に、恭介が合奏曲を作っていたということのほうが俺にとっては驚きかもしれない。

「そこは私が編曲して、吹奏楽部の状況に合わせます」

「そんなのできるのか、すごいな」

「私も日々成長していますので」

　編曲というのは簡単に言うと楽譜に手を加えてアレンジすることだ。

　今回の場合はトランペットの独奏曲である『夜に日は暮れない』を吹奏楽用に書き換えることになるのだろう。簡単な作業ではなさそうだが、恭介の曲に間近で触れてきた中井妹ならうまくやるはずだ。昔から何事もそつなくこなす印象だし。

「そういえば相馬さん、顧問を説得する案を出してくださったそうですね」

「一応な。でも『真空で聞こえる音』の演奏はやっぱり無理な気がしてきたよ」

　仮にこの案で顧問の原先生を説得できたとしても、それで障害がすべて取り除かれるわけではない。

大石が楽譜の確認に集中している間に、声をひそめて中井妹に考えを伝える。

「最大の問題は夜間の演奏をどうするかってことだろ」

場所や人数、練習時間も難題ではあるが、一番はやはり夜中に演奏が続けられないという点にある。

「仮に文化祭で『真空で聞こえる音』をやるとしても、できるのはせいぜい夕方までだ。三十六時間、通しで演奏はできない」

じゃあ場所を変えればいいかというと、そう単純な話でもない。合奏をするからには、真夜中に大きな音を出しても許される場所が必要になる。

さらに楽器の運搬は簡単な作業ではない。演奏を途切れさせることなく長距離の移動をするのは無茶だ。

「三十六時間の継続演奏にこだわるんじゃなくて、せめて数時間ずつ分けて演奏することができればいいのにな」

「それではダメです。必ず三十六時間、途切れることなく演奏しないといけません」

中井妹は三十六時間連続で演奏することにこだわっている。

だけどそのことが『真空で聞こえる音』を演奏する上での障害にもなっていた。

「だったら夜中の演奏はどうするんだよ」

「その点に関しては妙案があります」

どうやら中井妹は具体策を考えていたようだ。

名案ではなく妙案というのが気がかりではあるが、この様子なら本気で演奏が実現するかもしれない。

できることならその晴れ舞台を、観客席の後ろの方から見守るだけの立場でいたい。

「つきましては、そのことを相談するために相馬さんのお時間をいただきたいのですが」

「やっぱりそうなるよね」

中井妹はなにがなんでも俺を舞台上に引っ張り出すつもりのようだ。

「時間は午前一時くらいでいかがですか」

バイト前の貴重な睡眠時間だ。できれば勘弁願いたいが、そうもいかないのだろう。

不意に疲れを感じて、廊下の壁にもたれかかった。

どうも俺は、中井妹の頼みを断ることができないようだ。中井家にただよう懐かしい空気もまた、俺に逃げることを許してくれそうもなかった。

「わかった、その時間にここまで迎えに来るよ。あ、バイトが始まるまでだからな」

「ありがとうございます。ではまた今晩」

「ああ、すごく楽しみにしてる」

心にもないことを口にして笑う。

夜が来るのがこんなに憂鬱なのは久しぶりだった。


普段よりも遅くに家へ帰って眠り、普段よりも早い時間に起きる。なんなら日付変更線を越えるより先に目覚めて準備を整え、自転車で中井妹を迎えに行った。

「こんばんは」

約束の時間に、中井妹は自宅の前で自転車とともに待っていた。以前、バイト中に出会ったときとは異なり、明るい色の私服姿だ。

「それにしてもこんな時間に女子が出歩くなんて非常識、先生がよく許してくれたな」

「そんなに母のことが気になりますか」

俺が気にしているのは中井妹の安全なのだが、それを口にすると余計なお世話だと切り捨てられるに違いない。それに先生のことが気になるのも事実だ。

「ご心配なく。普段は知り合いの男性と二人で散歩をしていますし、そのことは母も知っていますから」

「ああ、そうなんだ。先生が許してるなら良かった」

こんな時間に一人なら心配だが、散歩仲間がいるなら少しは安心だ。恭介と違って社交性がある分、友達も多いのだろう。

中井妹は無言で俺を見つめていた。なにか言いたいことがありそうな顔だ。

「どうかした？」

「以前から気になってましたが、相馬さんは私のことを子ども扱いしてませんか。私はもう小学生ではないんですよ」

そんなことは言われなくてもわかっている。だが接し方が昔と似たような形になってしまうのは仕方ないだろう。

「あんまり雰囲気が変わってないから、無意識にそうなってるのかもしれない」

大人びた態度とは対照的に、子どもっぽい三つ編みが目を引く。小学生の頃と同じ髪型だ。

そんな俺の視線に気づいたのか、中井妹は自分の長い三つ編みを手でおさえながら抗議をするような口調で言った。

「これは、久しぶりに会っても私だとわかってもらうためにあえてこの形にしてるんです。実際、相馬さんもすぐに私だとは気づかなかったじゃないですか」

「それはたしかに」

でもう中井妹のことがわかったわけだから、昔の髪型にこだわる必要はないはずだ。

とはいえ、人の髪型にあれこれ言うのはさすがに失礼だろう。また子ども扱いだと言われかねない。

「今日は帰りも送るよ。あ、これは子ども扱いとかじゃなくて安全上の配慮としてだから」

「はい、どうもありがとうございます。では、行きましょうか。ついてきてください」

そっけなく自転車を漕《こ》ぎ出した中井妹を追って、俺もペダルを踏み込む。

早朝にバイクを運転し、通学では自転車に乗っている俺の感覚からすると京都の町を移動するなら自転車が一番便利だ。バイクは速いけれど置き場に困る。その点、自転車は駐輪場を見つけやすい。

中井家を離れてすぐ、一条戻橋を渡って堀川通を東に横断する。そのまま街灯に照らされた道を進んでいくようだ。

中井妹はどこに向かっているのだろう。あんまり遠くに行くのは嫌だな。自宅には近づいているが、バイト先からは遠のいてしまっている。

「ここです」

うだうだと一人で考えているうちに、中井妹はある巨大な門の前で止まった。

開け放たれたそこがどこに通じているのかを知らない人は、この町にいない。

「まさか、御所《ごしょ》を通るのか」

「はい。そのつもりです」

「っていうか、この時間でも中に入れるんだな。知らなかった」

「御苑《ぎょえん》部分なら二十四時間問題ありません」

京都市の中心にある京都御所へと通じる門、乾御門《いぬいごもん》はたしかに開いていた。

厳密に言えば御所は京都御苑《きょうとぎょえん》の中心にあるのだが、地元の人は大抵御苑も含めて「御所」と呼ぶ。少なくとも周りはそうしているので、この門の向こうは俺にとってはすでに御所だ。

「どこに行くのかは知らないけど、わざわざ暗い砂利道を通ることはないだろう」

御所は砂利道で、歩くと楽しいが自転車だとガタガタする。多くの人が通勤通学に通り抜けるため、普段は轍《わだち》で細い道ができているのだがこの暗さだとそれを見分けるのも難しそうだ。

「用があるのは中なのでこのまま行きます。一応安全のために自転車は降りましょうか」

ライトを点《つ》けたままの自転車を押して、中井妹は門をくぐる。俺も同じようにした。

この時間の御所に足を踏み入れるのは初めてなのでドキドキしてしまう。バイト中に近くを通ることはあっても、中に入ることはない。

御所は道幅も広く、そのため視界が開ける。ここを歩く間だけは普段よりも空が広い。自然も豊かなので、ここが通勤や通学ルートの人は幸せだろう。

「そういえば、相馬さんって幽霊の存在は信じるタイプですか？」

「宇宙人の存在と同じくらいには信じてるよ」

「なら安心ですね」

なにが安心なのかは知らないが、中井妹はどうやら御所にある児童公園に向かっているようだ。俺も子どもの頃は母に連れられて来たことがある。トランペットを習うより前の記憶だ。

そのとき、遠くからかすかに音が聞こえた。

いや、これは明らかに音楽だ。しかも吹奏楽っぽい。

「なぜだか『宝島』が聞こえる気がするんだけど」

間違いない。この軽快なリズムと特徴的なサックスのソロは『宝島』だ。吹奏楽部に所属したことのある人間で、知らない人はいないであろう定番の曲である。

聴いているだけで気分が明るくなるようなメロディーは、夜の児童公園のほうから聞こえてくる。演奏は見事だし、選曲も悪くないけれど、状況とはあまり合っていない。

「やっぱり相馬さんにも聞こえるんですね。ほっとしました」

足を止めた中井妹がこちらを振り返っているのはわかるが、周囲が暗いせいで表情はよくわからなかった。

「相馬さんにわからないと言われたら、計画が頓挫してしまうところでしたよ」

声はかすかに嬉しそうな響きを帯びている。いや、これは今も続いている『宝島』の演奏に引っ張られた、俺の勘違いかもしれない。

児童公園には楽器を演奏している集団がいた。なぜか浮かび上がるように見える彼らはみな、思い思いの楽器を手にしている。トランペットやサックスならともかく、チューバやコントラバスも運び込んだのだろうか。

総勢五十名以上はいるみたいだ。

年齢も性別もバラバラで、下は小学生くらいの女の子から、上は白髪の似合うお年寄りまでが音を揃えて演奏していた。ちゃんと指揮者もいる。音圧もすごい。身体の中の水分が震えるような感覚は、生の演奏を聴いたときにしか味わえない。

　俺は彼らのことを知っている。面識があるという意味ではなく、夜中にだけ見える彼らはおそらく幽霊だということを。

　だからこうして児童公園に巨大な楽器を持ち込めるし、大音量で演奏していても咎《とが》める人はいない。幽霊である彼らの姿を見て、そしてその演奏を聴くことのできる人はそんなに多くないのだろう。

　それにしても俺だけでなく、中井妹にも見えているというのは意外だった。

　五分程度の演奏が終わって、指揮者がこちらに一礼する。俺と中井妹は拍手をして演奏をたたえた。

「まさかとは思うけど、継続演奏のための妙案っていうのは――」

「お察しのとおり、この人たちに協力してもらおうと思っています。彼らであれば、深夜の演奏に関しては問題ないでしょう」

　たしかに幽霊の演奏であれば、夜中に演奏しても周辺から苦情が来ることはない。これはかなりありがたい話だった。

　また、演奏に参加している人数も申し分ない。

　幽霊の体力や睡眠については知らないが、仮に交代でやるとしても深夜から夜明けまで演奏を続けることができるはずだ。

「けど、協力してくれるかどうかは別だ。この人たちは自分たちだけで楽しくやってるんだろうし」

「そこは交渉次第でしょう。一応、代表者の方にはある程度の話は通してあるので門前払いを受けるようなことはありませんよ」

「面識があるなら最後まで自分で交渉すればいいんじゃないのか」

「私、口下手なので」

見え透いた嘘だ。俺を巻き込みたいだけだろう。

「見えますか。彼女が代表者です」

中井妹が手を振ると、演奏隊の中からトランペットを持った人物がこちらに近づいてくる。

「あ」「あ」

俺と相手はまったく同じタイミングで間の抜けた声を出してしまった。まさかこんなところで会うと思っていなかった相手とばったり出くわすと、こういう変な声が出る。

演奏隊の代表者として俺の前に現れたのは、普段は河川敷で顔を合わせている黒タイツの彼女だった。

「どうかしたんですか？」

中井妹が不審そうに俺を見上げる。

黒タイツの彼女と面識があることを隠す必要はないのかもしれないが、かといって説明したいとも思わない。

俺と彼女が河川敷でどう過ごしているかを話すと、まるでまだトランペットに未練があるかのように中井妹が誤解してしまう恐れがある。そういうあらぬ誤解を避けるためにも、ここはごまかしておくのが一番だ。

「あんまり美人だからびっくりしたんだよ」

「は？」

ごまかし方としては最悪だったかもしれない。中井妹の冷たい態度が一層冷ややかなものになってしまった。でもとっさに気の利いた言葉っていうのは出てこないものだ。諦めよう。

さて次は向こうだ。

俺がいくらごまかしても、相手が河川敷でのことを明かしてしまうと意味がない。

「はじめまして、相馬智成です」

ことさら初対面であることを強調してみた。

「こ、こちらこそはじめまして。河合華《かわいはな》です」

河合、と名乗った黒タイツの少女は俺の意図を察してくれたのか、すぐに初対面の挨拶を交わしてくれる。察しのいい人で助かった。これで中井妹をごまかせたかどうかは微妙なところだけど。

こうして俺たちは初めてお互いの名前を明かした。

出会って数年が経ってからの自己紹介は初めてで、なんだか面白い。だけど、同時にもったいないことをしてしまったような感覚にもなった。


「相馬さんは、いつから彼らのことが見えていたんですか」

児童公園からの帰り道は自転車を押して歩くことになった。というか、中井妹に話しかけられてしまって自転車にまたがるタイミングを失っている。

夜間における『真空で聞こえる音』の演奏協力についてお願いすると、意外とあっさり受け入れてもらえた。

中井妹が持参した序盤の楽譜に、河合さんだけでなく他の幽霊たちも興味津々だったおかげだろう。

あまりにあっけなく交渉が進んだので拍子抜けしているくらいだ。

「新聞配達のバイトを始めた頃には見えてたよ。幽霊だってことには長い間、気づかなかったけど」

中井妹にも見えていると知った今は幽霊だとわかる。

でも昨日までは、もしかすると俺の妄想や幻覚という可能性も消えていなかった。

自分だけの妄想と、他の人にも見える幽霊。どちらのほうが良かったかというのは難しい問題だ。

「そっちはいつから幽霊が見えるんだ」

「二年くらい前からです。夜中に偶然あの人たちの演奏を聴きました。一緒にいた母には聞こえていないようだったので、普通の人たちではないんだろうなと」

「あんまり夜中にウロウロするのは感心しないな」

「その日は用があって母と出かけた帰りだったんですよ。それからは基本的に、さっき言った男の人に送り迎えをしてもらっています」

「そういえば散歩仲間がいるんだったな」

なんにしても安全に配慮して出歩いているならそれでいい。いや、あんまり良くはないんだけど口うるさく注意することもできないだろう。俺はこいつの親でも兄でもないから、そもそも口を出す権利がない。

「ところで相馬さん、あまり幽霊という表現を多用するのはどうかと思います。はっきりと見えて意思疎通のできる相手をおばけ扱いするのは失礼でしょう」

「じゃあなんて呼ぶんだよ」

「私は止《し》者《しゃ》と呼んでいます」

「死者って、むしろおばけより悪いんじゃないのか」

「そうじゃありません。時の止まった人で、止者ですよ」

なんというネーミングセンス。

恭介の曲の命名にしてもそうだが、中井妹は感性が独特なのかもしれない。少し気取りすぎというか。もちろん嫌いではない。

特に止者という名前については不思議としっくりくる感じがあった。

俺が彼らを見かけるようになったのはバイトを始めてから、つまり高校に入学してすぐの頃だ。河合さんとは二年以上、毎日のように会っている。

だけど彼女の姿はまったく変わらない。どんなに暑い日も、寒い日も、服装一つ変わらず、いつもあの場所にいる。それはたしかに時間が止まっているかのようだ。

「ともあれ、交渉は成功しました。これで三十六時間の継続演奏も現実的になりましたね」

「仮に幽霊……じゃなくて止者のみなさんが手伝ってくれるとしても、日中の演奏についてはまだ解決してないだろ」

止者は日が昇ると消えてしまう。ということは、日が高いうちはどうにかして吹奏楽部に演奏してもらう必要があるわけだ。そっちの見通しはまだ立っていない。

「そうですね。まだ一番重要な問題が解決していません」

「一番重要なのって、どれのことだよ」

未解決の問題が多すぎて、優先順位をつけるのにも困る。

「私は相馬さんにも『真空で聞こえる音』を演奏してもらいたいと思っています。まだ了承してもらってませんでしたよね。これが現状、真っ先にクリアしておきたい問題です」

「演奏しなくてもいいって言ってただろ」

「今はそれでもいい、と答えたはずですよ。最終的には相馬さんが演奏に参加してくれなければ困ります」

「どうしてそこまで俺にこだわるんだよ」

ただ『真空で聞こえる音』を演奏するだけなら、俺の協力は必要ない。大石の説得も、楽譜選びも、止者との交渉も、中井妹一人で十分できたはずだ。

だが中井妹はそのすべてを俺に押し付けてくる。それは手間を惜しんでいるわけではないだろう。渋る俺を動かすよりも、自分でやったほうが早いはずなのに。

「私は兄さんの遺した曲をできるだけ完璧な形で演奏したいんです。兄さんの曲を演奏するのは、他の誰でもなく相馬さんの役目だったはずじゃないですか」

「完璧、か」

だから三十六時間の演奏を細切れにすることを許さないし、俺に演奏するよう促している。

兄が最後に遺した曲だから、完璧な形で演奏することにこだわりたい。中井妹が口にしたその理由に納得しそうになるが、同時に違和感もあった。

恭介が死んだのは中学二年の冬休みのことだ。

無精者の恭介は基本的に外出を拒み、特に歩くことを嫌がった。いわく「歩くと頭の中の音楽が散る」らしいが、俺にはさっぱり意味がわからない。今でもそうだ。

だから恭介が出かけるときは、基本的にバスを使っていた。あいつが考える人類の偉大な発明その二である。

にもかかわらず、その日の恭介は徒歩で出かけた。あいつが徒歩で出かける用事はそう多くない。コンビニにアイスを買いに行くときと、うちに来るときくらいだ。

ひどい吹雪の日だった。だから事故が起きたのだろう。

視界不良や路面状況の悪化など、原因は色々と考えられるが、ともかく車は事故を起こして歩道に突っ込んだ。交差点で信号を待っていた何人かが怪我《けが》を負い、何人かが死んだ。平和なこの町には珍しい大きな事故だった。その犠牲者の一人が恭介ということになる。

違和感はそこにあった。

なぜ今なんだろう。

あの事故からもう四年近く経つ。『真空で聞こえる音』を演奏したければ恭介の死後すぐに動き出せばよかったはずだ。

なのに、なぜ今になって演奏しようとしているのか。それがどうにも引っかかる。

「相馬さんは、どうしてトランペットをやめてしまったんですか？」

俺が質問をするよりも早く、中井妹はそう尋ねてきた。

「どうしてって」

意表を突かれ、思わず止まりそうになる足を強引に動かす。無意識に歩幅が大きくなってしまい、中井妹との距離が開いた。

「面倒になったからに決まってるだろ。トランペットって結構重くて肩がこるんだよ」

「兄さんのせいですか」

「そうじゃない。ただの気まぐれだって」

「十年以上続けていたのに？」

「惰性で続けてただけだよ」

演奏家を目指す予定もなかった。音楽教室を開く予定があったわけでもない。所詮は趣味の習い事だ。受験や就職に役立つことはない。

「あなたは」

俺の進路をさえぎるように背後から飛び出してきた中井妹が口を開く。

「……いえ、なんでもありません」

だが、結局言葉はなにも出てこなかった。

浮かびかけた熱のこもった感情は、冷たい無表情の奥へと隠されていく。

「そうか」

こちらからも特に伝えるべきことはなにもない。いやに重みのある沈黙を背負って歩く。

どうして人は楽しい話だけをしていられないんだろう。わかりやすい冗談を言って、ご機嫌に過ごすだけじゃダメなのか。

駅前のケーキ屋さんがステキ、みたいな話題だけでいい。昨日見たテレビやネットで斜め読みした出来事について面白おかしく話していればいい。それだけで過不足なく、平穏に生きていけるはずだ。

それなのに、どうしてわざわざ昔のことを掘り返そうとするのか。そのことにどんな意味があるのか。俺にはさっぱりわからない。

「私はここで失礼します」

「家まで送るよ」

「いえ、すぐなので大丈夫です。それでは」

「ああ、おやすみ」

俺たちは交差点で別れた。

恭介が死んだ事故のあった場所だったと思う。

自転車を漕ぐ中井妹の背中が見えなくなると、自然と口から大きなため息が漏れた。

この交差点を通るのがずっと嫌だった。

でも家からわりと近い交差点だから、高校へ行くにも、バイト先へ行くにも、新聞配達の最中にも、通らないわけにはいかない。

だから遠回りをする。

時間が許すなら、この交差点を大きく迂回《うかい》して鴨川まで行き、河川敷を通る。特別な意味なんてない。そのほうが嫌なことが一つ減るという程度のことだ。

時間も頃合いなので、家には戻らずこのままバイト先へと向かう。交差点だけじゃなくて、卒業した中学の近くを通ったせいか、勝手に昔のことを思い出してしまう。

俺がトランペットを始めたのは五歳のときだった。

恭介と出会ったのも、あいつの曲を演奏するようになったのも同じ、五歳のときだ。それからレッスンと演奏会を繰り返す日々がおよそ十年続いた。

だからなんとなくチグハグに感じてしまった。

恭介が死んだのに、トランペットだけを続けることが不自然に思えてならなかった。無理にもっともらしい理由をつけるとしてもこの程度だ。面倒になってやめたというのも本音ではある。

今さらトランペットに未練なんてない。

元々あのピカピカ光る楽器のことを好きだったのかさえ曖昧だ。だけどこのまま中井妹にあらぬ誤解を受けたままになるのも気に入らない。

俺はもう恭介のこともトランペットのことも忘れていた。

未練はないし、今後も思い出すことはないだろう。

どうにかしてその事実を中井妹にわかってもらう必要がある。

考えているうちにバイト先に着いたので、様々なことを一旦保留にして、仕事に集中した。

今の俺にとって新聞配達のバイトは日常の一部だ。

これが欠けると調子が狂う。

この数年、生活のリズムは学校とバイト、そして河川敷の三本柱でテンポよく円滑に回っていた。そこに今は『真空で聞こえる音』の演奏実現が割り込んできて、リズムを乱している。

新聞配達のバイトを終えた後、俺はいつものように河川敷へと向かう。

そこからはこれまで通りトランペットの音が聞こえた。だが、今の俺は彼女が河合さんという名前であることを知っている。

その変化は決して小さくない。

「あ、おはようございます」

河合さんは普段どおり、俺に気づくと会釈をしてくれた。俺も手を振って挨拶する。

「おはよう。さっきはびっくりしたよ。普段は御所で演奏してたんだね」

「はい。といっても、気まぐれな集まりなので日によって参加する人や演奏する曲も違うんですよ。私が代表者みたいに扱われてるのも、毎日参加してるっていうだけの理由なので」

つまり御所での演奏が解散になってからここで自主練をしてる、ということか。

「私も驚きました。相馬さんは優子さんと知り合いだったんですね」

「あぁ、友達の妹なんだ」

優子というのは中井妹のことだ。俺としても二人に面識があるとは知らなかった。俺たちはここでお互いについて話したことがないので当たり前なんだけど、世間がこうも狭いというのは衝撃的だ。

「優子はいつから児童公園に出入りしてるの？」

「この二年くらいでしょうか。月に数回程度、私の弟と一緒に演奏を聴きに来てくれます」

なるほど。中井妹の送り迎えをしてくれている散歩仲間というのは、河合さんの弟だったらしい。

「弟といってもあの子は今年で十八歳になるはずなので、年齢はもう抜かれちゃってるんですけど」

弟のほうが年上、というのは奇妙な状態だ。それは河合さんが幽霊で、弟さんは生きているからだろう。そういう意味でも中井妹が名付けた「止者」という表現は妙にしっくりきた。

「ちなみに弟さんってどんな人？」

「真面目ないい子ですよ。今でも毎日のように私に会いに来てくれます。あとスポーツが得意で、昔から足が速い子でした」

深夜に出歩くのは真面目ないい子の行動ではない気がするけれど、河合さんに会うためには仕方ないのか。止者である彼女と会って話すには、どうしたって暗いうちに出歩くしかない。

中井妹の送り迎えをしてくれているお礼を言わねばならない、と一瞬思ったが、俺が言うのも変な話だ。やめておこう。

「そういえば、以前相馬さんの言っていた三十六時間の演奏って『真空で聞こえる音』のことだったんですね。優子さんから演奏を手伝ってほしい楽譜があるとは聞いていたんですけど、演奏時間が長いことについては今日初めて知りました」

「実はまだ全然実現の見通しは立ってないんだけど、だからこそ手伝ってくれるのはありがたいよ」

三十六時間の演奏を途切れることなく続けるのであれば、最大の難所は夜中の演奏継続だ。そこを河合さんたち止者が担ってくれるのであれば、ぐっと実現に近づく。それでもやっぱり問題は山積みなんだけど。

「お力になれるとすれば嬉しいです。話に聞くだけでも興味をそそられる曲でした」

「でも演奏するなら覚悟しておいたほうがいい。俺も楽譜を最後まで見たわけじゃないけど、出だしだけでもひどい曲だよ。出来が悪いって意味じゃなくて、演奏する側の都合とか負担を考えてない」

恭介の作る曲はいつもそうだった。こちらの都合や技量はまったく考慮していない。一つの楽器が持つすべての音域を出せるようになるためには、かなりの時間と根気を要する。

トランペットの音域は広い。俺の場合はすべての音域が出せるようになるまでに一年くらいかかった。だけど恭介はそんな事情を慮ったりはしない。

あいつは楽譜に音符を刻めば、誰もがその音を出せて当然だと思っている。それは唯一の合奏曲である『真空で聞こえる音』についても同じだった。

恭介はとにかく音符を詰め込む。

指と呼吸が間に合わないくらいに。

「気をつけないと酸欠になるかも」

マラソンよりも長い時間がかかるのだから、その恐れは十分にある。

「やっぱり面白そうですね。ますます楽しみになってきました」

恭介の曲は意外と誰にでも受け入れられるようだ。河合さんの反応もいい。昼間の吹奏楽部でも好意的な反応が多かった。

吹奏楽部というのは普段何十年、何百年と演奏され続けてきた名曲を演奏することが多い。様々な国の歴史が詰まったそれらはいわば会席料理やフルコースのような、綺麗で立派なものだ。それを演奏することに不満はない。

だけど人間というのは不思議なもので、時々変わった味を求めてしまう。そういう欲求を満たすからこそ恭介の曲は面白いという評価を得るのだろう。

とはいえ俺が恭介の曲に感じるのは、目新しさよりも懐かしさのほうが強い。

ゲテモノ料理のような曲を演奏するために、あの頃の俺は必死で練習した。

年月が経てば経つほど恭介の要求は苛烈に、容赦のないものになっていった。あいつはそれができて当然だと思っていたし、俺もできないとは言いたくなかった。それならとにかく練習して、演奏し続けるしかない。

恭介は俺の演奏に一度も文句を言わなかった。

だけど演奏の完成度が高かったとは思っていない。あいつの要求に完全な形で応えられたという実感もない。

もし恭介の曲を演奏したのが俺よりもずっとうまい誰かだったら、と考えたこともある。

ひょっとすると恭介も同じことを考えたから、合奏曲を遺していったのだろうか。

その疑問の答えを知ることはできない。

そして、今さら知りたいとも思わなかった。

「部内恋愛は禁止ですよ」

放課後、音楽室で俺に近づいてきた後輩の宇佐見は硬い口調で言った。

「恋愛感情のもつれは、合奏においては邪魔になることが多いですから」

「たしかに恋愛が絡むとトラブルになりがちだよな」

といっても吹奏楽部の男子って同じ部の女子にモテている印象がない。それどころか異性として意識されることさえ少ない気がする。中学時代の俺がそうだった。

「けどなんでそんな話を俺にするんだ。もしかして遠回しな愛の告白？」

「深夜、相馬先輩と一年の中井が一緒にいる姿を目撃した人がいます」

「あ、そういうことね」

深夜の御所へ向かう珍道中を誰かに見られていたらしい。つくづく狭い町だ。どこに知り合いの目があるかわかったもんじゃない。

目撃者が行きと帰りのどちらを見たのかは知らないが、俺と中井妹が蜜月っぽく見えたのか。そんな雰囲気ではなかったと思うけれど、人の目っていうのは不思議だ。

「誤解だよ、バイト前にちょっと会っただけだ。新聞配達は朝が早いからな」

「先輩って部活をやりながらバイトもしてるんですか？」

「言ってなかったっけ。俺が高校に入ってからずっと帰宅部のエースを担ってきたのは、新聞配達のバイトをするためだったんだよ」

「知りませんでした。で、中井とは仲がいいんですか？」

「小さい頃を知ってるだけで、噂《うわさ》になるような関係じゃないかな」

「でも、わざわざバイト前に会っていたっていうのはちょっと納得がいきません」

「なんなら宇佐見も早起きしてみるか。一緒にコンビニのフライドポテトを早朝から貪り食おうぜ」

「太らないで済むなら食べたいですけど」

「ほらー、バカな話をしてないでちゃんと練習しなさい」

背後から俺の座っている椅子をがつんと蹴ったのは部長の大石だった。

「部長は気にならないんですか？」

「男女が一緒に歩いてたからって付き合ってるとは限らないでしょ。それにあたしは部員の恋愛事情なんてどうでもいいし。特にこいつのは」

「そう言われると、なんだか一気に興味が失《う》せますね」

大石の言葉には説得力があったのか、宇佐見はすんなり練習に戻っていった。

「助かったよ、大石」

「別に助けたつもりもないんだけどね。とにかく、今後は変に疑われるようなことは慎むように。たとえ眉唾ものでも、恋愛の話になると女の子はざわざわするもんなんだから」

「大石は俺と中井妹との関係を疑わないんだな」

「当たり前でしょ。あんたみたいなふざけたやつに恋人ができるわけないし」

「ひどい理由だ」

「そんなことより暇なら楽譜配るの手伝ってよ」

大石は手に薄い楽譜の束を抱えていた。

「それって昨日の楽譜？」

「そう、あんたが選んだ『夜に日は暮れない』ってやつ。中井さんがうちの部に合わせて編曲してくれたから、それをコピーしてきたの」

「早業だな」

　一分程度の曲とはいえ、一晩で編曲したのは恐るべきことだ。中井妹も恭介と同じく、曲作りの才能があるのかもしれない。

　だが大石は俺の言葉を、楽譜をコピーしてきたことに対する感想だと勘違いしたようだ。得意げに胸をそらしている。

「当然でしょ。あたしたちにはもたもたしてる時間なんてないの。この曲をガツンとぶつけて、あの非協力的な顧問をギャフンと言わせてやる」

「ガツンで、ギャフンか。いいね、単純明快で。そういうの好きだよ」

　そう簡単にいくとは思えないけれど、悲観的なことばかり言っても役に立たない。

「部員の勧誘はどんな感じ？」

「あれから五人も集まったの、すごいでしょ。このペースでいけばコンクールに出れたかもしれないくらい」

　それでも二十人に満たない。なのになんで大石はこんなに自信満々なんだろうか。

　呆れつつも、同時に思う。

なんでもない風を装うなら、こういう話の流れで切り出すほうがいいはずだ。

「なら俺も含めて新メンバーは六人だな」

「あ、そういえばまだ相馬の演奏を聴いてないかも。なにやってんの、ちゃんと練習してよ」

「それどころじゃなかっただろ」

大石と宇佐見が揉めていたし、その後は原先生との交渉に駆り出された。さらに楽譜選びにも付き合ったので、部室で練習するタイミングはほとんどなかった。それに最初は演奏するつもりがなかったので、早めに帰宅していたという理由もある。

「たしかトランペットを吹くんだっけ。じゃあ取ってきてあげるから、演奏してみせてよ」

「え、これから楽譜を配るんだろ」

「それより先にあんたの演奏が聴きたいの。もったいつけた分、天才的な腕前を披露しないと許さないからね」

さすがにそれは無茶だ。四年近いブランクがあるんだぞ。

と、言い訳する隙すら与えてくれないのはわかっている。大石ってそんなやつさ。

そのときふと、中井妹の視線を感じた。

マネキンめいた微動だにしない顔の筋肉と、幼さを感じさせる長い三つ編みがいつ見てもミスマッチだ。

「なんだよ、あんまり熱い視線を向けられると照れちゃうぞ」

「本当にいいんですか」

相変わらず俺の冗談に付き合ってはくれないようだ。

いいのか、というのは演奏のことだろう。昨日のやりとりを気にしているのかもしれない。

「トランペットは趣味だって言っただろ。だからいつやめてもいいし、いつ再開してもいいんだ」

こだわりはない。トランペットを演奏することで、昔のことを引きずっていないと証明できるならお手軽でいいじゃないか。

「さぁ、これでいいでしょ」

隣の部屋から戻ってきた大石が楽器ケースを差し出す。それを受け取り、中からトランペットを取り出した。

ところどころメッキのはげた銀色のトランペットは昔自分が使っていた金色のものよりも軽い気がしたが、正確なことはもう覚えていない。

「さ、早く吹いて」

「へいへい、仰せのままに」

許されるのであればまずはマウスピースだけで音が出せるかとか、そのあたりから確かめたいが、そんな準備は許されそうもなかった。

仕方なく構えてみる。右手の人差し指が一番ピストン、中指が二番、薬指が三番。覚えているとおりにやってみたが、どうもしっくりこない。大丈夫かな、俺。

と、そこで気がついた。

部屋中の視線が俺にそそがれている。軽くホラーな光景だ。

もしかしてあれは期待の眼差しなんだろうか。部員たちは本気で俺のことを天才奏者だと誤解しているのかもしれない。

「あの、先に言っておくけど天才的な演奏とかできないからね」

「前置きはいいから早くしてよ。下手だったら、ちゃんと笑ってあげるから」

「心強いなぐさめ、どうもありがとう」

一度深呼吸をしてから、トランペットに息を吹き込む。

本当に久しぶりだ。口周りの筋肉を酷使する感覚はとても懐かしい。唇がビリビリと震える。

演奏しようとしたのは『夜に日は暮れない』だ。

恭介が最初に作った曲で、俺が初めてちゃんと演奏した曲でもある。

どうにか音は出たが、音階も音量が安定しない。すぐに音がよれてしまう。

この曲は五歳の俺でも一応演奏できた曲だ。それなのに今は調子はずれになってしまい、思い通りの音が出ない。指の動きもぎこちなくもつれる。不自然なくらい下手な演奏だ。

いや、不自然でもないか。

四年間まったく練習しなかったんだから、以前と同じように演奏できるはずがない。十年くらい練習してもさほど上達しなかったのに、下手になるのは四年で十分だったようだ。

およそ一分間、聞き苦しい音と格闘したが改善の兆しはなく、演奏を終える頃には部屋中が苦笑いに包まれていた。

笑うと宣言してくれていた大石はもちろん、後輩の宇佐見も反応に困ったような顔をしている。いっそ腹を抱えて笑ってくれたほうが良かったのに。

「猛特訓が必要ですね」

唯一、にこりともせず中井妹が言った。

物事そううまくはいかないもんである。

そんな当たり前の現実を当たり前に受け止めるのは、思ったよりも大変なことだった。


学校から帰宅してすぐ、俺は自室の押入れをあさっていた。

目的は一つ。昔しまいこんでしまった自分のトランペットを見つけ出すことだ。

部室でトランペットから情けない音を出した後、もちろん俺は熱心に練習した。完全下校時刻である午後六時までみっちりとだ。

そんな熱心な練習のおかげで俺はもうすっかり全盛期の実力を取り戻した、なんてことはなく依然としてダメなままだった。

息切れするし、指は機敏に動かないし、頭が痛くなる。全身のいたるところが弱りきっていた。そもそもトランペットを支えていた腕が痛い。唇も腫れているような気がする。これが俺の情けない現状だ。

だけど、もしかするとトランペットが合っていないのかもしれない。マイ楽器を見つけることさえできれば、かつての実力を取り戻せるのではないか。きっとそうだ、そうに違いない。

そんな苦しい言い訳を胸の内で繰り返しながら、三十分ほど自室で捜索を続けたが、成果は上がっていなかった。

押入れから出てくるのは卒業アルバムや、くしゃくしゃになったテストの答案用紙、数年前の漫画雑誌などの障害物ばかりで、目的の楽器ケースは見当たらない。

こうなったら奥の手だ。俺自身よりも俺の部屋に詳しい人に頼ろう。

「母ちゃん！」

十五分ほど前に帰ってきていた母親を探して、俺はリビングに駆け込んだ。

台所で夕食の用意をしていた母は、忙しそうに後ろ姿で返事をする。

「なに、さっきからバタバタして」

「俺のトランペット、どこにあるか知らない？　押入れにないんだけど」

「え？　トランペットならもうないわよ。あんた、前にもういらないって言ったじゃない」

「い、言ったけどさ……そこは気をきかせてこっそり取っておいてくれるもんじゃないの？　いつか必要になると思って取っておいた、とか言ってくれよ」

「なに言ってんだか。あのトランペットならもう、欲しいって子にあげちゃった。そのほうが押入れの中にあるより幸せでしょ。お義母《かあ》さんもきっと喜ぶと思って」

「そりゃそうかもしれないけどさぁ」

「なに、楽器が必要なの？　たしかリコーダーはまだあったでしょ。あれじゃダメなの？」

「リコーダーって……母ちゃん、俺もう寝るからな。ふて寝だ、ふて寝！」

どしどしと荒い足音をたてて自分の部屋に戻ると、散らかした過去の遺物とホコリで部屋の環境汚染は深刻なものになっていた。このままではふて寝もできない。

出したばかりの荷物を片付けながら部屋の汚さと向き合っていると、インターホンの音が聞こえた。

来客でも宅配便でも母が出てくれるだろう。こっちは今、部屋の汚染除去活動で忙しい。思い余って、足元のリコーダーを吹いてしまいそうなくらいに追い詰められている。いや、いっそこれでやるか。

錯乱してリコーダーを掴んだとき、背後の扉がノックなしに開いた。

「あ、母ちゃん？　宅配便、俺宛だったの？」

「ある意味ではそうとも言いますね」

耳の穴を吹き抜けて脳を凍えさせるような冷たい声に振り向くと、中井妹がそこにいた。

「探しものはこれですか？」

見れば、中井妹の手には懐かしい楽器ケースがあった。

「もしかしてそれ、俺のトランペット？」

「はい。以前あなたのお母さまにいただきました。相馬さんがトランペットを探しているとご連絡いただいたので、こうしてわざわざ持ってきてあげたんです」

母がトランペットをあげた相手って中井妹だったのか。全然知らなかった。

「相馬さんがどうしても必要だとおっしゃるなら貸してあげなくもないですよ」

「それっておかしくない？　元々俺のだよね」

「でも今はもう私のものです。どうしますか？」

「じゃあ貸してくれ」

「ちゃんとお願いしてほしいです」

「はいはい、お願いします」

「あともう少し、私をおだててみてください」

「なんでだよ」

「交渉を有利に進めるためには相手をいい気分にさせることも大切です。相馬さんにはお世辞を言う力が欠けていますよね。そんなことでは駆け引きはできませんよ」

「なるほど。豚もおだてりゃ木に登る、というやつだな」

「そうですね。女の子を豚にたとえるのは明らかにマイナスですが」

「わかった、ちょっと待って」

いきなりおだてろと言われても困る。ちょっとは知恵をしぼる時間が必要だ。

「あー、バイトもないのに早起きできる能力はすごいんじゃないかな」

「おだてるというのはそういうことではありません。こういうとき、嘘でも『綺麗になったね』の一言くらい言ってみたらどうなんですか」

「俺も常々言いたいとは思ってるんだけどさ。歯が浮くと困るから、そういうセリフはいざというときのために取ってあるんだよね」

女子に向かってそんなことをさらっと言えるのは、とびきり良いやつか悪いやつのどちらかである。普通は恥ずかしくてそんなことを面と向かっては言えないものだ。

「相馬さんのいざというときは、いつなんですか？」

「そりゃもう『いざ！』って感じがくるんだと思うよ。まだ経験したことはないけど」

「わかりました、もういいです。諦めました。トランペットは貸してあげます」

「よし、助かる！」

差し出された楽器ケースを受け取ると、猛烈に愛おしくなって頬ずりをした。

「これさえあれば、家でも練習が……できないよな」

「できませんね。防音室もなしに家の中でトランペットを吹くのは迷惑行為です」

「知ってる」

当たり前だけど楽器は大きな音が出る。家の中や道端で無遠慮に吹くと、周りから怒られるのは当然だ。

「うちになら防音室はありますが」

「それも知ってる」

十年くらいレッスンに通っていた。中井家の地下には完璧な防音室がある。さっきのようにお願いすれば、使わせてもらえるかもしれない。

けれど、中井妹の監視下で練習するというのも正直ぞっとしない話だ。

自主練習というのはもっと自由にのびのびとやれなければ意味がない。うっかり先生と顔を合わせるのも気まずいので、中井家の防音室を使う案は却下だ。

「自主練のことは後で考えることにして、今はとりあえずバイトに備えて寝る。トランペットを届けてくれてどうもありがとう。でも俺の部屋にある恐ろしいものを見つけてしまう前に、早く帰ってくれ」

「恐ろしいものってなんですか？」

「人に見られると俺の顔から火が出るようなもの」

「歯が浮いたり、火が出たり、相馬さんの顔面は大変ですね」

中井妹は相変わらずの無表情だったが、すっかり呆れているのは言葉だけで伝わってきた。


いつもよりは短い睡眠を取り、元気にバイトに励んだ後、俺は持参したトランペットとともに河川敷を目指していた。

練習場所については色々と考えてみたが最終的に思いついたのがここだ。河合さんと一緒に練習させてもらおう。ここなら早朝でも近所迷惑にはならない。

今日も河合さんは『きらきら星』を演奏していた。

「こんばんは、相馬さん。あ、もしかしてそれって……」

「そう、マイ楽器。河合さんと同じトランペットだ」

「トランペット経験者だったんですね。知りませんでした」

「そんなに大層なものじゃないよ。長い間触ってなかったし、初心者同然だ。だから一緒に練習させてもらえると嬉しいんだけど」

「もちろんです。えーっと、じゃあ『きらきら星』でいいですか？」

「いいね、やってみようか。でもまずは基礎練習から付き合ってほしいな」

河合さんの了承を得た俺は、準備のためにまずは唇を湿らせる。

芯をもちなさい、とトランペットを教えてくれた先生は何度も言っていた。

まっすぐ息を吹き込むためにも、途中で音がぶれてしまわないためにも、芯は大切だ。姿勢や息の吹き込み方だけでなく、普段の生活から決してぶれないように生きなさいと、先生は幼い俺に繰り返し教えてくれた。

そんな先生の指導のおかげで、頭のてっぺんから足元までを貫く立派な芯がかつての俺にはあったのかもしれない。だから十年もの間、恭介とあいつの作る楽譜に付き合ってこれたのだろう。

だけど今はその芯もぽっきり折れて、全身ぐにゃぐにゃだ。これをもう一度どうにかすることができるのだろうか。

そんなことを思い返しながら基礎練習に挑む。

まずタンギングやリップスラーの練習から始め、運指、音階練習、ロングトーンという基礎練習を丁寧におこない、それから演奏をすることにした。

俺たちはトランペットを構える。

持参したメトロノームを動かし、河合さんと目を合わせてタイミングをはかると、演奏を始めた。

中井妹に借りたトランペットで『きらきら星』を吹く。入念に音出しをしたおかげで、昨日の放課後よりかはマシな音が出た。

「すっごく上手じゃないですか」

演奏を終えると、河合さんが目を輝かせていた。

「ありがとう。まだまだだけど、そう言ってもらえると嬉しいよ」

昨日よりもまともな演奏ができたのはマイ楽器のおかげ、というわけではないだろう。河合さんの音に引っ張ってもらっただけだ。

しかし演奏を褒められるというのは久しぶりの経験だ。

先生はめったに俺を褒めなかったし、恭介は感想すら口にしなかった。両親はあまり音楽に興味がなかったので、熱心に拍手をくれたのは祖母と優子——中井妹だけだ。

「そんなに上手になれるなんて、相馬さんはトランペットが好きなんですね」

「どうだろう、自分ではちょっとわからないな」

俺は祖母のためにトランペットを始めた。そして恭介に負けないために続けてきた。

今は中井妹に昔のことを引きずっていないと証明するために再開した。

考えてみると俺がトランペットを吹く動機は、いつも自分以外のところにある。はたして俺自身は楽器を好きだった瞬間があるのだろうか。

「河合さんはトランペットが好きなの？」

「はい、大好きです。子どもの頃、弟と一緒に見ていたドラマで主人公の演奏している姿がかっこよかったんですよ。だから吹奏楽部に入ったら絶対にトランペットをやるんだって決めてました」

「ああ、噂のよく会いに来てくれる弟さんか」

「そうです。私はあまり来ないように言ってるんですけど……」

弟のことを語る河合さんの口ぶりはどこか暗い。

一般的に、死に別れた家族と再び会えることは嬉しいことなんじゃないだろうか。河合さんの弟もそう思うからこそ深夜の児童公園へ頻繁に足を運んでいるのだろう。

しかし河合さんはそれを歓迎していないようだった。

気になる。できれば力になりたい。だが踏み込んでいいのだろうか――。

迷った挙げ句、結局興味が勝った。

「なにか揉めてるの？」

「いえ、揉めてはないんですけど、このままでいいのかはずっと迷っています」

河合さんはためらうように視線をさまよわせていたけれど、最終的には打ち明けてくれた。

「弟は野球部だったんです。私がまだ生きていた頃、他県の強豪校から声がかかるくらい優秀な選手でした」

「すごいね。スポーツ特待生ってやつだ」

「になるはずだったんですけど。でも死んだ私はなぜかここにいて、弟と偶然出会ってしまった。そのせいで弟は推薦を断って、近所の高校に進学しました。それに私と長く過ごしているせいで、日中の生活にあまり力が入っていないようなんです」

人はどうしても眠くなる。

深夜から早朝にかけて活動するならば別の時間で睡眠を取る必要がある。それはたとえば昼の授業中とかにならざるを得ない。俺も吹奏楽部と新聞配達をかろうじて両立しているが、これより早い時間に毎日起きて出かけるのは無理だ。

昼間のなにかを引き換えにしないと、深夜に活動することはできない。

「弟と会って話ができることは嬉しいんです。でも、そのために弟が自分を犠牲にしているのは、間違っているんじゃないかとも思っていて……こういうのってどうしたらいいんでしょうか」

「うーん……」

俺にはどちらの気持ちもわかるような気がした。

きっと二人は仲のいい姉弟だったのだろう。だから死んだ姉ともう一度会って話ができるなら、他のことを犠牲にできるんだ。

一方、河合さんの心配もわかる。自分のせいで弟が大切なものを手放した責任を感じているのだろう。

死んだ人と再び会えるのは、まるで夢のような時間だ。

けれど、その夢を見続けることが良いことだとは限らない。

「生きている人と私は、あまり関わらないほうがいいのかもしれませんね」

河合さんが独り言のようにつぶやいた言葉が、やけに耳に残った。

休日を挟んで週明けの月曜日。

不運にも、お昼を過ぎると雨が降り出してしまった。

放課後の音楽室の窓から見ても、地面を叩《たた》く雨粒は増えるばかりだ。しばらくこのまま雨がやまないのかもしれない。そうなると新聞配達が大変だ。道中もそうだし、新聞にビニールをかける作業が増えるのもあまり嬉しくはない。

「相馬さん、サボってるんですか？」

「いや、雨がやむように念じてるんだ。このままだと自転車で帰るの大変そうだし」

外を見たまま返事をする。

窓ガラスに薄く映る中井妹の虚像は、今日もマネキンのように無表情だ。

「傘、持ってきてないんですか？」

「うん。朝は晴れてたしな」

「仕方ないですね。私の傘、貸してあげますよ」

「え、ほんとに？　ありがとう、助かる。てるてる坊主でも作ろうかと思ってた」

「安心したならそろそろ練習してください」

「はーい」

数日前から、河合さんの言葉が頭を離れなくて困っている。だけど考えたところで俺にできることはない。なら悩んだところで時間の無駄だ。今はできることをしよう。

「相馬、ちょっと来て。例の顧問について頼みたいことがあるの」

練習をしようと楽器ケースを開いたところで、廊下から大石に呼ばれた。部長に呼び出されたとあっては無視するわけにもいかない。やむなく練習を棚上げにして駆けつける。

「原先生のことなら『夜に日は暮れない』の演奏で説得するって話だったよな」

「だから、その演奏会に来てもらわないといけないでしょ」

「あ、そっか。まだそのへんの話もしてないのか」

　吹奏楽部で勝手に決めただけで、原先生に直接声をかけたわけではない。てっきり大石が話をつけていると思っていたが、そんなことはなかったようだ。

「一週間後に演奏を披露して、あの顧問の首を縦に振らせてやる」

「練習は一週間で足りるのか」

「多分、大丈夫じゃない？　今練習してる『夜に日は暮れない』って曲は短いし、なにより顧問の説得に時間をかけて『真空で聞こえる音』を練習する時間が減ると困るでしょ」

「それはたしかに」

　三十六時間の演奏をするのに必要な練習時間はどれほどになるのか、見当もつかない。

「というわけで急いで職員室まで行って、一週間後の演奏会へ来てもらえるように約束を取り付けてきて」

「話はわかったけど、なんで俺なの？」

「だってあたし、あの人苦手だから」

「そんな理由かよ」

だが大石に任せると事態が悪化する恐れもある。うまくやる自信はないが、ここは俺が行くほうがまだ成功する確率が高い。

イマイチ練習する意欲もなかったので、音楽室を抜け出す口実を得ることができたのはラッキーだ。できるだけ時間をかけて、のんびりと職員室へと向かった。

「原先生、部活のことでご相談があるんですけどいいですか」

パソコンに向かっていた原先生は眉間にシワを寄せて嫌そうな顔をしたけれど、結局廊下に出てきてくれた。

「あの無謀な演奏を諦めたって話ではなさそうだな」

「実は先生を説得に来ました」

すでに呆れ顔の原先生に、演奏会のことを伝える。恭介の作った別の曲を演奏するので、それを聴いてからもう一度判断してほしい、という内容だ。

手応えは全然ない。原先生は相変わらず困ったような顔をしている。

「たしかに僕は、知らない作曲家の作った曲は良くないと言った。でもそれは、その作曲家のことを知りたくて言ったわけじゃない。そもそも世界的に有名な作曲家の作品でも、三十六時間の演奏はできないし、許すつもりもない」

まったくもって原先生の言うとおりだ。なにもしないよりかはマシだけど、恭介の曲の出来が良ければそれで万事解決というわけではない。

「三十六時間はできないとしても、たとえば二日かけて長い演奏をおこなうというのはどうですかね」

夜中は止者が演奏してくれる予定になっている。ならそれ以外の時間を吹奏楽部が演奏できるようにすればいい。

大石を説得するのは大変そうだけれど、現実的にはそこらへんが妥協点だろう。

「日中はずっと演奏して、夜は帰ってしっかり休む。それならまだ現実的じゃないかと思うんですけど」

「仮にその案を採用しても、根本的な問題は変わらない。そんな長い曲をちゃんと演奏するのに、いったいどれだけの練習時間がかかるんだ」

「間に合わせます」

「演奏の完成度じゃなくて、準備にかかる時間と労力の心配をしてるんだよ。君たちにとって重要なのは勉強と成績で、部活動はその息抜きであるべきだろう。部活に時間を割いて、勉強ができないようでは本末転倒だ」

原先生はとても教師らしいことを言う。

こういうことを言われると、こちらも一生徒として反論しないわけにはいかない。月並みなやりとりになってしまうが、交渉自体は真剣なものだ。

「成績だけがすべてじゃないでしょう」

「いいや、君たちにとってはテストと成績表の数字がすべてだ」

原先生はきっぱりと言い切った。

「今は不満かもしれない。でも、いずれそのことがいかに気楽なことだったかがわかるようになる」

定期テストのたびに苦しめられている身としては、すんなり受け入れられる話ではない。成績さえ良ければいいなどと気軽に言ってもらっては困る。

「社会に出ればすべて総合評価だ。容姿、服装、性別、年齢、学歴、収入、資格、その他諸々《たもろもろ》。学校の成績がいかに良くても、テストの点数がどれだけ高かろうと、それだけですべてがうまくいくなんてことはなくなる」

大人になるのを待たなくても、人間関係は今でもそうだ。勉強ができるだけでなにもかもうまくいくわけじゃない。

かといってコミュニケーション能力だけでも、容姿だけでもダメなんだろうけど。

世知辛い話だ。

「部活も悪くない。趣味も、友人も、恋愛も大切だ。だけど、優先順位は間違えるべきじゃない。特に相馬は受験生だろう。言ってること、わかるよな」

「それはもちろん、ある程度は」

「十分だよ。僕が高校生だった頃よりも賢明だ」

部活と受験を天秤《てんびん》にかけるならば受験の方に針が傾く。それが原先生の言う、正しい優先順位だ。

残念ながら、将来を見据えた行動とそれ以外のものは高確率で両立しえない。

たとえばそれは『真空で聞こえる音』を演奏することであったり、死んだはずの姉と再び過ごせる時間であったりするのだろう。そういうとき迷いなく、自分の将来に直結するものを選べることが正しさだとする原先生の意見に異論はない。

はたしてその正しさを冷静に選べるのか、という点が問題ではあるんだけど。

「それはそれとして、来週の演奏会には来てもらえますか」

「そうだな、一時間もかからないなら時間を作るよ。顧問としては必要なことだ」

「曲自体は一分程度です。その後、部長の大石と話し合うにしても一時間はかからないと思いますよ」

「そうか。じゃあひとまず演奏自体は楽しみにしてるって伝えておいてくれ」

ありがとうございます、とお礼を言ってから音楽室へと戻る。

大石には演奏会の呼び出しに応じてもらえたことだけを伝えて、三十六時間の演奏に難色を示されたことは黙っておこう。いずれバレるとは思うけど、ささやかな時間稼ぎだ。


完全下校時刻が迫る午後六時前。

雨は勢いを増してまるで滝のようになっていた。大石を始めとした他の部員が色とりどりの傘を広げて帰っていく中、俺は音楽室の窓から階下をにらむ。まるで俺に対する嫌がらせみたいな天気だ。

「さ、私たちも帰りましょうか」

背後から中井妹の声が聞こえる。

「約束通り、傘をお貸ししますから」

「ありがと……う?」

中井妹が差し出したのは、真っ赤な傘だった。それは別にいい。色に文句があるわけじゃない。

　問題は中井妹が他に雨具を持っていないように見えることだ。

「気のせいか、傘が一つしかないように見えるんだけど」

「はい。これだけです」

「なんだよ、普通の傘とは別に折り畳み傘を持ってるから貸してくれるって言ったんじゃないのか。なら貸してくれなくていい」

「いえ、私は約束を破るような人間ではありません。意地でもこれは相馬さんにお貸しします。なので心優しい誰かが傘に入れてくれなければ、私は濡《ぬ》れて帰ることになるでしょうね」

「そうか、友達と一緒に帰るんだな」

「それもいいですね。ただ他のみなさんはもう帰ってしまったので、相馬さんと私しかここにはいませんが」

　たしかにそうだが、他の部員が帰るまで俺を待たせたのは中井妹である。つまりわざとだ。

「相馬さんがどうしても私と帰りたくないと言うなら、それはそれで構いませんよ。たとえそれで雨に濡れて風邪をひこうとも、恨んだりはしませんから」

「嫌な言い方だ」

退路はすっかり塞がれていて、選択肢がない。

中井妹の術中にはまってしまったことに気づくのが遅すぎた。

「わかったよ、一緒に帰ろう」

「そうですか？　どうしてもとおっしゃるなら仕方ありませんね。一緒に帰ってあげます」

「それはどうもありがとう」

こうして中井妹と並んで帰ることになってしまった。

灰色にくすんだ道をとぼとぼ歩くと、雨独特のにおいが鼻につく。登校時に乗ってきた自転車は駐輪場に置いていくしかない。色んなことが重なり顔をしかめることしかできなかった。

俺が相合い傘を嫌がった理由は二つある。

まずどうやっても左肩が濡れること。そして、中井妹との会話から逃れられないこと。これが困る。

人目のない場所であれば、中井妹は確実に昔話をするだろう。けれど俺はあまり昔のことを思い出したくはない。

「相馬さんは変わりましたね」

肩が触れそうな距離で、中井妹はささやくような声で言う。

「昔よりもくだらない冗談を口にする機会が増えました」

「一瞬褒めてもらえるのかと期待しちゃったよ」

変わったというなら中井妹だって、昔はこんなに辛辣じゃなかったはずだ。

「人はどこまでが同じなら、その人だと言えるのでしょう」

雨の中、赤信号を待っていると不意に中井妹はそんなことを言った。

「四年前とくらべて私は変わりました。背も伸びたし、身体つきも変化しました。同様に相馬さんも背が伸びて、笑顔が嘘くさくなりましたよね」

「ひどい言われようだ」

「おそらくお互いに性格や考え方も多少は変わったのでしょう。なら、私たちはどうやって四年前の〝私〟や〝あなた〟と同じ存在だと証明できるのでしょうか」

言われてみればたしかに不思議だ。

久しぶりに会った昔の友人がなぜその人だとわかるのか。

名前や立場ならいくらでも偽ることができる。顔立ちや体格だって昔とまったく同じというわけじゃない。それなのに昔と同じ人物だと互いに認識している。

「どこまで材料が揃っていれば同一人物なんですか？」

「そりゃ、見た感じでなんとなく……」

「だったら、私が顔を変えればもう中井優子ではなくなるのでしょうか？　同時に私とまったく同じ顔に整形すれば、誰でも中井優子になれるのでしょうか？」

「そういうわけじゃないと思うけど」

「では精神ですか？　どんな見た目の人間でも『私は中井優子です』と言い、あなたとの思い出話をいくつか話せばその人は中井優子ですか？」

「違う。それは極端だろ」

「では、どうすれば私は四年前の中井優子と同一人物だと証明できるのでしょうか」

なにをもって、誰かをその人たらしめるのか。答えは簡単だ。

「両方だ。外見と中身が揃わないと、意味がない」

「相馬さんは贅沢《ぜいたく》ですね」

中井妹がかすかに笑う。それはどこか悲しげに見えた。

「私は中身だけで十分です。ロボットになろうが、ゾンビになろうが、その人と話ができる以上のことを望んだりしません」

「俺は贅沢なのか」

「ええ、贅沢です」

相手がどんな姿になっても話すことができるだけでいい、という考え方は健気《けなげ》だと思う。

だけど、そんな誰かの姿を俺は見たくない。

なんとなく透けて見えてしまった中井妹の考えには賛同ができなくて、でもせめて反対だけはしないでおく。

「よくわからないな」

中井妹の言いたいこと、その裏に隠されている意図には気づかないふりをして、視線をそらす。

そのときふと河合さんの言っていたことを思い出した。

河合さんが彼女の弟に対して抱いた感情と、俺が中井妹に対して今感じたものは似ているのかもしれない。仮にそうだとすれば、俺に思いつく解決策は一つだけだ。

夜明け前の堀川通を錆びたバイクで走る。

濡れた路面にライトと信号の光が反射して、キラキラと輝いていた。

そんな早朝の町で、俺は事前にビニールをかけた新聞を順調に投函していく。

俺が考えるべきことは多いようでいて、そんなに多くない。吹奏楽部のことや『真空で聞こえる音』の演奏は成り行きに任せるしかないだろう。これ以上頭を悩ませてどうにかできることじゃない。

だけど、河合さんからの相談だけは俺が答えなければいけない問題だ。

自分がこれから口にする予定の言葉が、ちゃんとしているかどうかを確かめながらバイトを続ける。雨合羽が肌にはりついてうっとうしく、なにより蒸すように暑かった。

バイトを終える頃になると雨はすっかり小雨《こさめ》になっていた。俺は傘をさして河川敷を目指す。

鴨川の水は梅雨時期になるとすぐに増水するが、今日は河川敷が水没しているようなことはなかった。

だから河合さんは今日も河川敷にいた。

「おはようございます、雨の日に会うのは珍しいですね」

たしかに雨の日はあまり河川敷までは来ない。

止者である河合さんの身体を通り抜けて雨は地面に降り落ちる。手にしているトランペットも同じように濡れていなかった。

「昔は雨が降ると楽器を守るために急いで屋根のあるところを探してましたけど、今は影響がありません。こうなってからいいなと思えることの一つです」

俺がトランペットを見ていることに気づいて、河合さんはほんのりと微笑《ほほえ》んだ。

きっと意味はないのだと知りながらも、俺は河合さんに近づいて彼女を傘の中に入れた。彼女も俺から逃げなかった。

「河合さんと弟さんのこと。あれからもう一度考えてみたんだ」

触れることのできそうな距離だけれど、俺と河合さんが触れ合うことはない。

それどころか自分の身体や声が彼女をすり抜けてしまうことが怖くて、息が詰まりそうになった。

「それで、少し距離を取るのがいいんじゃないかって思った」

「距離、ですか？」

「うん。できるだけ遠くがいい」

過去と決別する方法を俺は知っている。

「近くにいるから気になるんだ。簡単には会いに行けないところまで遠ざかれば、頻繁に会うことはできなくなる。そうすれば弟さんの生活に支障をきたすこともなくなるんじゃないかな」

過去の自分が大切にしていたものを、思い出深いものを遠ざければ、いつか感慨も記憶も薄れていく。あいつがよく利用したバス停、一緒に通っていた中学校、トランペット、防音室、楽譜。そういったものを視界に入れないようにする。

三年で足りなければ四年、四年で足りなければもっとだ。そうしているうちに、いつか完全に過去を切り捨てることができる、はずだ。多分。

だが、それは俺のやり方だ。

河合さんに対してまったく同じ方法を押し付けるわけにはいかない。だからあくまでこれは提案だ。

「ただの思いつきだからあんまり真に受けてくれなくていいんだけどさ」

こういうときに笑って見せるのを忘れてはいけない。

自分で自分の発言を笑えば、受け取る相手はそれを軽いものだと思ってくれる。重く受け止められるよりかは、そっちのほうがいい。

「今すぐ河合さんがどこかに行ってしまうと、一緒に『真空で聞こえる音』が演奏できなくなるし、こういう方法もあるっていう話で」

「ありがとうございます。真剣に考えてくださったんですね」

作り笑いがバレているようだ。河合さんはまっすぐな瞳で俺を見上げていた。

「一度、弟としっかり話し合ってみます。相馬さんに心配をかけないように」

「俺のことはいいよ。でも、うまく折り合いがつくといいね」

死に別れた二人がせっかく再び会えたのだから、これ以上良くないことが起こらなければいい。そう願っているだけだ。

俺と河合さんはそれからしばらく他愛もない雑談をして、朝日が昇る前に別れた。

その頃には雨も上がっていたが、自転車はないので歩いて帰るしかない。

これくらいの時間になると、犬の散歩やジョギングをしている人の数が増えてくる。止者は見えなくなるが、かといって周りが寂しくはならない。

「相馬」

不意に名前を呼ばれて驚かされた。こんな時間に話しかけられることはめったにない。しかも男の人の声だ。

声のした方を振り向くと、ベンチに座っていた男性が立ち上がり、こちらに近づいてくる。

「こんな時間にウロウロしているのは良くないぞ」

俺に声をかけてきたのは、吹奏楽部の顧問である原先生だった。

「おはようございます、先生」

「あんまり口うるさく言いたくはないが、高校生の朝帰りは問題だ」

「これはバイトの新聞配達をした帰りですよ。学校にも届けを出してます」

「なんだ、そうだったのか。それは早とちりだったな。悪かった」

あっさりと原先生は引いてくれた。話のわかる人で良かった。

「先生は出勤ですか、早いですね」

「いや、朝のジョギングだよ。いくらなんでも出勤するには早すぎる」

たしかにスポーツウェアに帽子をかぶっている。学校では白衣姿だ。

「ジョギングって雨でも走るんですか？」

「シャワーランって言ってな、雨でもジョギングはできる。普段よりはペースは落ちるが、これも悪くないぞ」

「意外と健康的なんですね」

「教師は結構体力がいるんだよ。あとは職場と家以外の空気を吸う目的もある」

原先生の世界も大変そうだ。

服装のせいか、普段とは受ける印象が違う。あらためて話してみると、想像していたほど頭が固いわけではないらしい。ジョギングという健康的な趣味を持っているのも意外だった。

「相馬がこんな時間に出歩いている理由については納得した。けど、さっきまでうちの制服を着た女子と一緒だっただろう。バイト仲間かもしれないが、くれぐれも素行には気をつけるように」

じゃあ遅刻するなよ、と言って原先生は走って行ってしまった。

さっきまで会っていた制服を着た女子、とは河合さんのことだ。しかし河合さんは止者、つまり一般的には見えない幽霊のような存在のはず。

もしかして原先生にも止者が見えているのか。

俺と中井妹、それに河合さんの弟にも見えている。そこに加えて原先生も、となると止者が見えるのは珍しいことでもないのかもしれない。多くの人は原先生のように、その人が止者だと気づいていないだけで。

それにしても河川敷にいるところを見られてしまったというのは想定外だった。

もしも原先生に止者が見えなければ俺は暗い河川敷で独り言をつぶやいていたことになる。この場合は注意されたか、心配されたかどちらになるのだろう。

そんなことを考えると自然と笑えた。

そして一週間後の放課後。

「お迎えに上がりました」

職員室を訪ねると、原先生は観念したように立ち上がった。

俺が原先生を案内する大役を仰せつかったのは、単に大石がやりたくなかったからだろう。

色々な仕事を押し付けられがちだけど、大石が直接出向いてトラブルを起こすくらいなら俺が奔走したほうがいい。

「毎度、献身的だな。吹奏楽部に好きな子でもいるのか」

「だったら良かったんですけどね」

「そうか、河川敷で会ってた子が本命だな」

「そっちも先生の誤解ですって」

もし俺が恋愛感情で頑張れるくらいまともだったら、とっくに恋人ができていたはずだ。そうではないということは、そういうことである。自分で言っていてなんだか悲しくなってきた。

「みんな、今日の演奏で先生をギャフンと言わせるって躍起になってますよ」

「僕は部活動に対して熱心じゃないから、部員に好かれないのも当然だ」

「前から気になってたんですけど、先生は部活が嫌いなんですか？」

「どうしてそう思う？」

「恋愛もバイトも、入れ込み過ぎれば学業の妨げになるという点では部活と同じです。なのに先生は部活に対してだけ特に否定的に思えたので」

「たしかに個人的な感情がない、とは言えないな」

職員室から音楽室までの道中を原先生はゆっくりと歩く。できるだけ音楽室に行くまでの時間を引き延ばそうとするような足取りだ。

「僕が高校生だった頃、ある友人がいた。サッカー部だったそいつは部活に熱心で、毎日努力を重ねていた。試合で結果も出していたから、うらやましいくらいモテてたよ」

「原先生のことではなさそうですね」

「だから友達の話だって言っただろ。僕は吹奏楽部だった。コンクールも目指さない、演奏も下手な、ゆるい部だったよ。楽しくはなかったけれど、つらくもなかった。あの頃は放課後に勉強をしなくていい免罪符として部活に参加してたな」

自分が接している大人にも、子どもの頃があったというのは頭ではわかっている。だけど実際に当時の話を聞くと同一人物だとは思えないことも多い。

原先生も学生時代は勉強が嫌いだったというのは意外だ。

「僕の友人は必死に部活をしていた。だけど練習のしすぎで身体を壊した。その結果、試合への出場も、推薦入学もなくなった」

原先生は淡々と語るが、学校の廊下で歩きながら聞くには重い話だ。さすがに俺も冗談を言うわけにいかなくて言葉に詰まる。

「そのとき、努力が人を裏切ることを僕は知った。顧問も、同級生も、良いときには無責任に煽《あお》るけれど、それで成功しなかったときは冷たいもんだ。怪我をしたあいつへの態度は表面的には優しかったけど、中身はなかった。ぞっとしたよ」

「先生が部活動に否定的なのは、その友達のことがあったからですか」

「否定はしていないつもりだ。だけど、授業や勉強、その他の生活を犠牲にしてまで打ち込むほどの価値があるとは思っていない」

原先生の考え方はわかった。共感する部分も多い。そして大石との相性が悪いということもわかってしまう。俺は部活動に対して、二人ほどの意見を持っていない。ぼんやりと生きている身としてはどちらも眩《まぶ》しいくらいだ。

でも、子ども扱いせずにちゃんと話をしてくれた相手には、こちらも礼儀を尽くすべきだということくらいはわかっている。

「俺は、楽器をやめるために吹奏楽部に入部したんです」

なんのために部活をやるのか、なんて話すのは気恥ずかしい。だけど、今はある程度打ち明けなければならないだろう。

「最近気づいたんですけど、必死になって打ち込んでいたことをやめるっていうのは簡単じゃない。変な形で切り捨てると、いつまでも未練が残る。だからやめる方法も大切なんです」

きっと世の中の人は、そんなことはとっくに知っているのだろう。だからスポーツには引退試合があるし、学校には卒業式がある。

そのことを俺に教えてくれたのは大石だ。

——本当はもっとちゃんとやめたかったんだけどね。

あの考え方に触れたおかげで、こうして原先生と正面から話すことができている。できれば大石と原先生が直接話をするほうがいいんだけど、大石はすぐ熱くなってしまうのでこういう冷静な会話は無理だろう。その熱さが大石の良いところでもあるので、適材適所だ。

「先生の言うとおり、大抵の部活は息抜きです。吹奏楽部の大半は高校を卒業したら楽器にふれることもなくなるでしょう。でもだからこそ、楽器に打ち込んだ日々をきちんとした思い出にする必要があるんです」

「それがあの、常識はずれの曲か？」

「そうなればいいなと思ってます」

「お前たち三年生はそれでいいかもしれないが、後輩たちはどうする」

「どういう理由かはわかりません。でも演奏することには同意してくれています」

「その意欲とやる気を部活以外に向けてくれたら嬉しいんだけどな」

原先生は険しい顔でため息をつく。

困らせている自覚はあるが、たたみかけるなら今しかないだろう。

「繰り返しになりますが、のめり込みすぎて成績がダメになるのは恋愛でも趣味でも一緒です。その点、部活はまだ顧問が制御しやすいんじゃないでしょうか」

「相馬は案外口がうまいな」

原先生は、ふっと口元をゆるめた。

「わかったよ。三十六時間そのままやるというのは論外だが、実現可能な範囲でなら検討してもいいのかもしれない」

「そう言ってもらえると俺は助かります」

「当然、最終判断はこの後の演奏次第だ。聴いていて頭が痛くなるような曲を作る作曲家なら、当然三十六時間の演奏のほうも却下だぞ」

「多分そこは大丈夫ですよ」

俺には恭介の曲が良いのか悪いのかはわからない。

だけど今のところ、大石や河合さんから悪い評価は聞かないので『真空で聞こえる音』の演奏は検討してもらえるはずだ。

「でも意外だったな。相馬はてっきり、三十六時間の演奏をしたくないんだと思ってたよ」

「それは……どうなんでしょうね」

不意をつくその一言は、さすがに笑ってごまかすしかなかった。

音楽室で行われた『夜に日は暮れない』の演奏は、練習時間が短かったとは思えない完成度だった。

元が独奏曲だったとは、きっと原先生も気づかなかっただろう。それくらい中井妹の編曲はうまく機能していた。

主旋律のトランペットを目立たせつつ、低音パートやパーカッションが音の厚みを増す。元のテイストを最大限残した上で、合奏の強みである音の重なりを活《い》かしている。限られた部員数や、それに付随する使える楽器の制限をものともしていない。

恭介の曲は元々要求される音符の数が多い。

特に『夜に日は暮れない』は濁流のように音符が押し寄せてくるので息も指もギリギリまで酷使することになる。にもかかわらず、どのパートも一音も飛ばすことなく演奏できたのはすごいことだ。

やっぱり合奏はいいな、と素直に感じる。

大きな演奏の一部として参加する感覚は独特だ。中学の吹奏楽部で初めて合奏をしたときの記憶がよみがえってきて、鳥肌が立つ。

指揮者をつとめていた大石が振り返ると、唯一の観客である原先生は拍手で演奏を称賛してくれた。

「降参するよ」

拍手の手をそのまま上げて、原先生はお手上げのポーズになる。

「やった」

大石がぐっと拳を作って喜んだ。それを引き金にして他の部員も歓声をあげる。ハイタッチや抱擁で喜びを表す中、俺は静かにトランペットをケースにしまった。

「一度聴いたら忘れられない強烈な曲だった。だからこの作曲家の曲に魅力があることは認める。例の『真空で聞こえる音』を演奏したいというのなら、頭ごなしに否定はしないよ。ただし、三十六時間を通しで演奏することだけは認められない」

「は？　なに言ってるんですか。最初から最後まで全部演奏しないとダメに決まってるでしょ」

「大石、ストップ。まだ話の途中だから」

噛みつこうとした大石の進路を遮ってなだめる。気分は猛獣使いだ。ライオンのように牙をむく大石に両手のひらを見せて、なんとか押《お》し止《とど》める。その間に原先生は話を続けてくれた。

「現実的なのは細切れにして演奏することだ。文化祭は三日間だから、一日十二時間ずつ。これでも結構非現実的だな」

「中断するのなら、あの曲を演奏する意味がありません」

次に抗議の声を上げたのは中井妹だ。正直、手が足りない。

俺は助けを求める視線を、後輩の宇佐見に送る。

すぐに伝わったようで「まぁまぁ」と中井妹をなだめるように立ち上がってくれた。

「そう言うと思ってた。だから妥協案だ。学校で合宿をしよう」

原先生の発言は誰にとっても予想外だったようで、部員からの反応はにぶい。俺も同じだ。

それも想定済みだったようで、原先生は嚙み砕いて説明してくれる。

「文化祭期間中、一泊二日で合宿をする。学校で寝泊まりすれば、就寝時間のギリギリまでは演奏できるし、朝も早い時間から演奏を始められるだろう」

原先生が提案してくれたのは、校内でもっとも長く演奏する方法のように思える。吹奏楽部の演奏時間をできるだけ長くするには、これ以上の方法はないだろう。

「僕が譲歩できるのはここまでだ。教師として深夜の演奏を認めるわけにはいかない。みんなの体調面の問題もある。徹夜なんてもってのほかだ」

大石は渋い顔をするが、反論しないところを見ると原先生の言いたいことも理解しているのだろう。猪突猛進というだけで、大石は頭が悪いわけではない。

「あんたはどう思うの」

大石はなにを思ったのか俺に意見を求めてきた。

俺のような意志薄弱な人間に言えることはほとんどないが、求められたからには応じないわけにもいかない。

「十分すぎるくらい配慮してもらってるんじゃないか」

実際ルールとしてはギリギリの範囲内を攻めている。

本当に実現できるかは不明だが、文化祭期間中の学校で合宿なんて生徒の立場では思いつかない発想だ。

「夜中の演奏については、俺が方法を考えるよ。学外の人に協力してもらって、途切れさせないようにする。全部自分たちで演奏できないのは不満かもしれないけど、部員数や体力面から考えても、原先生の案が一番現実的だと俺は思うよ」

実際、河合さんたちに演奏を手伝ってもらう手はずは整っている。それをどう大石に信じてもらうかという問題はあるが、演奏自体が途切れないことは説得の材料になるだろう。

部員の負担を考えれば、ちゃんとした睡眠時間を作れるのは大切なことだ。それが部長である大石にも十分にわかるのだろう。

「先生、就寝時間は何時にするつもりですか」

宇佐見がピンと張った硬い声で原先生に尋ねる。

「午後十時だ。だが演奏自体は九時までに一旦中断させてもらう」

「わかりました。では午後九時から翌朝五時までは中断しましょう。それでも演奏時間は二十八時間あります」

具体的な数字で出されるとやっぱり長い。

反対するわけではないが、確認だけはしたくなってしまう。

「というか、朝の五時から演奏するのか」

「合宿だったらそれくらい普通ですよ。コンクールを目指していた頃は、毎日のように朝から晩まで練習していましたから」

恐るべし吹奏楽部。運動部にも負けないハードワークだ。原先生が何度も勉強しろというのもわかる。

とにかく方針はおおむね定まった。

文化祭は午前九時から始まる。

吹奏楽部はその時間から『真空で聞こえる音』の演奏を始め、午後九時まで学校で演奏を続ける。これでおよそ十二時間。

そこから深夜の演奏は河合さんたち、止者の演奏隊の出番だ。

河合さんたちには夜明けの午前五時までの八時間を担当してもらうことになる。これだけでも十分に長い。

日の出後の午前五時から演奏終了までは再び吹奏楽部が総力をあげて演奏する。そこからはもう十六時間ノンストップだ。これで二日目の午後九時には『真空で聞こえる音』は無事に演奏完了となる。

もちろんこれは時間配分の話だけであって、まだまだ決めることはある。部員をいくつかの演奏隊に分けて交代で演奏することになるだろうし、そのための人数はまだ足りていない。

だけど、劇的な進歩だ。

あとは部長である大石が納得して音頭を取ってくれれば、話はまとまる。

「部長も、それでいいですよね」

宇佐見が確認を取ると、大石は切り替えるように大きな声を出した。

「わかった。全部演奏できないのは本当に、本当に気になるけど……でもこれが一番現実的な案だってことはわかる。これでいきましょう。ありがとうございます、先生」

大石がお辞儀をしたので、部員たちも続いて原先生に「ありがとうございます」と声を揃えてお礼を言った。俺は波に乗り遅れ、一人だけ言うタイミングをなくしてしまう。

しかし、原先生の提案はとっさの思いつきとは考えにくい。

ということはつまり、この演奏会に来る前から『真空で聞こえる音』を文化祭でやる方法について考えてくれていたのではないか。

だとしたらさっき俺が説得したつもりになっていたけれど、原先生は最初から『真空で聞こえる音』の演奏を認めてくれるつもりだったのだろう。

自分の手柄だと思いこんだのは恥ずかしい勘違いだ。大石や中井妹に自慢する前で良かった。

原先生は困ったような顔をしていたが、悪い気分ではなさそうだった。

数日後の午前一時、俺は自転車を走らせていた。

バイトの時間にはまだ早い。けれど今日はその前に中井妹と会う予定があった。場所は御所の児童公園、止者たちが演奏している場所だ。

原先生の協力を得られた後、吹奏楽部では具体的な方針について話し合った。部員だけでいるときよりも、顧問の意見が入ってからのほうが次々と話がまとまっていく。

まずは部員不足の問題。

交代で演奏するならば少人数の編成を三つは作りたい。だがそれだけの部員を今から勧誘するのは非現実的だ。

ということで他の部から助《すけ》っ人《と》を頼むことにした。

軽音部は部員たちでバンドを組む都合上、どうしてもあぶれる人が発生する。また上級生が代表をつとめるバンドが体育館を使うため、下級生は文化祭で発表する時間が少なくなりがちだ。そういう面々に声をかけて、企画に興味を持ってもらえた人に演奏を手伝ってもらうのはどうか、ということになった。

次は指揮者の問題だ。

まさか原先生に何十時間も指揮棒を振ってもらうわけにはいかない。要所は原先生にお願いすることにして、それ以外はパートリーダーが順番に受け持つことになった。

これで残る問題は、自分たちがちゃんと『真空で聞こえる音』を演奏できるか、という一点に集約されつつある。つまりあとは練習さえすればいい、ということだ。

吹奏楽部では放課後だけでなく朝練も本格的に始動することになった。楽譜はまだ配ってないが、基礎練習を積んでおくことは必要だ。

演奏実現が近づいてきている。

だからあらためて、夜間の演奏について止者の演奏隊と話し合っておかなければならない。

その打ち合わせのために、俺は普段より早起きして中井妹と一緒に御所の児童公園へと向かう予定だった。河合さんたちと打ち合わせをして、当日の動きや演奏箇所について話し合っておく必要がある。

だが、俺はうっかり寝過ごした。

先に行くというそっけない連絡があったので、こうして大慌てで児童公園へ向かっている。バイトの時間に起きるのには慣れたが、それよりも早く起きるのはどうにも慣れない。

俺が到着する頃にはもう、児童公園から演奏は聞こえてこなかった。

それどころか、今日は止者の演奏隊の雰囲気が暗い気がする。こういう気まずい空気は苦手だ。

止者の中にいる中井妹を見つけたので、さりげなく近づく。

「夜道の独り歩きは良くないって」

「相馬さんが寝過ごしたので、今日は別の人と一緒に来ました」

「あ、今日は河合さんの弟と一緒だったのか。なら良かった」

「どうして私が河合さんの弟さんと面識があると知ってるんですか？」

「前に河合さんから聞いた」

「いつの間に」

たまには中井妹の想像を上回ることができたようだ。河合さんに感謝しないといけない。

その河合さんの姿は公園の中に見つけることができなかった。噂の弟さんらしき姿もない。

「で、今日はどうしてこんな重めの空気なの？」

「それは帰り道に話しましょう。邪魔になると良くないですから」

今日はもう帰るのか。

たしかにこの雰囲気だと『真空で聞こえる音』の打ち合わせはできそうもない。代表者である河合さんもいないし、別の日にしたほうがいいだろう。

「一緒に来たっていう河合さんの弟は置いていっていいのか？」

「どうして私以外の人にはそうやって気遣いができるんでしょうね」

中井妹は目に見えて不機嫌だ。うかつなことは言えそうにない。

自転車を押して歩く中井妹を追って御所を後にする。今日は早起きして砂利をじゃりじゃりと踏みしめただけになってしまった。

「それで、なにが原因であんな空気だったんだ」

「河合さんと弟さんが少し揉めたんですよ」

中井妹はなんでもないことのように話すが、俺にとっては一大事だ。思わず立ち止まってしまう。

それを予想していたのか、中井妹も足を止めた。

「私も話をすべて聞いていたわけではありません。けれど、町を出るとか、もう会わないほうがいいとか、傍《はた》から聞いていると別れ話みたいでしたよ。姉と弟で不思議な話をするものだな、とおかしく感じました」

中井妹が冗談のようなことを言っている。今までになかったことだ。

さっき児童公園で河合さんの姿が見当たらなかった。彼女の弟というのも見ていない。今もまだ話し合いが続いているのだろうか。

「河合さんがなにを不満に思っているのか、私にはわかりません。止者として家族とまた一緒に過ごせるのは、とても幸運なことでしょう」

「幸運か」

ある視点で見れば、それは事実だろう。

だけど河合さんの立場からすれば、それが必ずしも幸せなことではないというのも今ならわかる。

息を吐く。

さすがにそろそろ見て見ぬふりを続けるのも限界だ。

違和感は最初からあった。

彼女が『真空で聞こえる音』の演奏を実現させようとするのも、今のやりとりもそうだ。四年間接点がなかった俺に今さら近づいてきたことも、昔のままの髪型にこだわり続けることも、多すぎるくらいにヒントはあった。気づかないふりをするほうが大変だったくらいだ。

本当はあの雨の日にはもう気づいていた。

できればこのまま触れずにいたかったが、そういうわけにもいかないみたいだ。

「なぁ、優子」

人はどこまでが同じならば同一人物だと言えるのか。

優子はそう俺に尋ねたことがある。それも雨の日の出来事だ。

「ずっと恭介を探してるんだろう」

優子は止者の存在を知っていた。

深夜の御所なんて、普通ならば中高生が出歩くような場所じゃない。なにかを探していなければ、迷い込むこともないだろう。

そして優子が探すとすれば、それは恭介以外にはありえない。

優子が捜索にどれだけ時間を費やしたかは知らない。だけど、止者となった恭介を見つけることはできなかった。

今になって『真空で聞こえる音』を演奏する理由はそこにあるのだろう。

「はい」

優子はうなずいた。

俺はため息を飲み込むために天を仰ぐ。こんな推測が当たっていても嬉しくはない。

「兄さんは相馬さんの演奏をいつも楽しみにしていました。あなたが演奏すれば必ず聴きに来る。だから『真空で聞こえる音』を演奏すればもう一度兄さんと会えるはずなんです」

「あいつが止者になっているという確証はない」

死んだ人間のすべてが止者として町に留《とど》まるわけではないはずだ。もしそうならば、今頃目の前は止者で埋め尽くされ、歩くことさえままならない。

止者となるにはなんらかの条件がある。それを知ることはおそらくできないだろうが、条件があることだけは確かだ。

「でも止者になっていないという確証もありません」

悪魔の証明だ。白いカラスがいないことを証明できないように、恭介が止者になっていないことを証明することもまたできない。

だが、すがりつくにはあまりにも儚《はかな》い望みだ。

「今さら恭介に会ってどうするつもりだ」

「特別なことはなにも。前みたいに三人で一緒に過ごして、小さな演奏会を開いて、話をすることができればそれで十分です」

真面目な顔で、なんてバカげたことを言うんだ。

腹の底からこみ上げてくるこの感情が悲しさなのか苛立ちなのか、自分でも判断がつかない。

「兄さんさえここに居てくれれば、また三人で昔のように笑うことができる。それはとてもステキなことだって、そうは思いませんか？」

「思わない。恭介はもう死んだんだよ」

こんなこと本当は言いたくなかった。

自分で口にした言葉があまりに空虚で、寒気がする。

「でもまだここにいるかもしれません。止者なら話もできる」

「日が沈んでいる間だけだ。触れることも、一緒に食事をすることも、学校に通うこともうできない」

「そんなの些細《ささい》な問題でしょう。もう一度兄さんと会える。返事をしてくれる。それ以上のことを望むのは贅沢ですよ」

自分の長い三つ編みを握りしめている優子は、小学生のように見えた。いつもより小さくて頼りない。なんと言えばいいのかわからなくなって、俺は首を横に振ることしかできなかった。

優子が小学生の頃から髪型を変えない理由も明らかだ。止者となった恭介に、成長した自分のことをわかってもらえるよう、あえて毎日髪を結んでいる。

時間を止めているという点では、俺や優子のほうがよほど止者だ。

本当は恭介が死んだ四年前から、俺たちはなにも成長していない。失ったものから目をそらしている中学生と、失ったものを取り戻そうとあがいている小学生のままだ。

河合さんの言っていたことを思い出す。

彼女は自分が近くにいることで弟の歩みを止めてしまっていると気にしていた。だけど、それは考えすぎだったんだと今ならわかる。

止者がいてもいなくても、俺たちはこんなにも前に進めていない。

「私は、兄さんと相馬さんと三人で過ごす時間がとても大切でした。それをなくさないためなら、どんな努力だってします」

「それはもうなくなってしまったんだ。今さら取り戻せない」

少なくとも俺にとって恭介はすでに死人だ。止者として生きていようと、そうでなかろうと、どちらでも変わらない。

「だから諦めて昔のことはすべて捨ててしまうんですか？　私はトランペットと一緒に思い出も忘れてしまうなんて、そんなやり方が正しいとは思いません」

まっすぐ向き合って、優子は俺のやり方を否定した。

取り戻せないものなら、思い出してつらくなるだけなら、捨ててしまえばいい。俺はそう考えてこの四年間実行してきたつもりだ。

恭介は死んだんだ。あいつのことを思い出せば喪失感が強くなる。そこから逃れるためには、重いものをすべて捨て去るしかない。

楽しいことも、悲しいことも、全部まとめて捨てることしか、俺にはできなかった。だけど、今はもうそのやり方が正しいとは自分でも信じられなくなっていた。でも他のやり方だって思いつかない。

しばらく俺と優子は無言で向かい合う。

これ以上ここで話し合うことに意味がないことは、お互いにもうわかっていた。

「今日は一人で帰ります。バイト、頑張ってください」

それだけ言うと、振り返らずに優子は離れていく。
そうだ、なんの意味もない。どんな話をしたところで、結局あの曲を演奏すること
になる。
優子は恭介を見つけるために。
そして俺は、思い出を忘れたと証明するために、あの曲を演奏するしかなかった。

たとえ直前にどんなことが起きていようと、バイト中に余計なことは考えない。安全運転をするために心がけていることの一つだ。

錆びた車体を軋《きし》ませながら、早朝の町を新聞とともに巡っていく。しかしイマイチ調子が出ない。

これは俺の問題ではなく、道の問題だった。

日中の交通量が多い道路では、夜中のうちに工事をおこなうことがある。工事の種類まではわからない。重要なのは工事用の車両が堀川通に停《と》まっているということだ。

今日は堀川通をあまり通らないほうがいいだろう。

違う道を通ると、慣れているはずの町も普段とは違って見える。今日は特に人が少ないように感じられた。

いつもならこれくらいになると、町を歩く止者の姿がよく目につく。しかし今日は全然見かけない。早朝の町は静かで、遠くの工事の音が聞こえてきそうなくらいだった。

暗く静かな時間は、俺に様々なことを考える余白を押し付けてくる。

真っ先に思い出すのは優子の顔だ。

あのこちらを責めるような、それでいてすがるような表情を頭から追い払うことができない。

もっとうまく話すことができれば、あんな風に別れずに済んだのだろうか。

本気で思っていることを表に出して、それで良い結果が得られたことは一度もない。だったらやっぱり笑ってごまかしているほうがいいだろう。それができなかったのは俺の落ち度で、優子は悪くない。

でも勝手に死んだ恭介が一番悪い。

あいつが生きていればこんなことにはならなかった。

八つ当たりのようなことを考えていると、新聞を投函する手つきが荒くなってしまう。これではダメだ。優子のことを考えるのはやめておこう。

次に気がかりなのは河合さんのことだ。

俺の無責任な言葉のせいで、彼女は弟と揉めることになってしまった。とても放ってはおけない。

まずできることから始めよう。

いつもよりは時間がかかったがどうにかバイトを終えた俺は、自転車で鴨川の河川敷を目指す。

遅くなったが、まだ日の出までは時間があるはずだ。河合さんと話をすることはできる。

河川敷に着いたが、ここの景色もいつもと違って見えた。

なにより音楽が聞こえてこない。この数年間、ずっと親しんできた『きらきら星』が聞こえないままだ。

普段、河合さんが演奏をしている場所に彼女の姿はない。自転車で周辺を散策してみるがやはり河合さんの姿を見つけることはできなかった。

この時点で、ある疑念がよぎった。夜明け前の町に人が少なく思えたのは、もしかすると俺の方に異変があるのかもしれない。

だけどそれを認めたくなくて、俺はひたすら自転車を漕いで鴨川の河川敷を上がったり下がったり、何度も繰り返した。

気づくとすっかり日が昇っていた。相変わらず見えている景色に変化はない。にじんだ汗を拭う気力もわかなくて、俺は自転車のハンドルに突っ伏す。

もう認めるしかないだろう。

俺には止者が見えなくなっている。

理由も原因もなにもわからなくて、そしてどうすればいいのかもわからなくて、俺はしばらくその姿勢のまま動けなかった。

そして明るい夜が暮れる

「あんた、今日朝練サボったでしょ」

昼休みの教室で、俺は大石に怖い顔でにらまれていた。

「寝坊したんだよ。遅刻してきたの、知ってるだろ」

文化祭に向けて、吹奏楽部では朝練を始めたのは知っている。もちろん俺も参加するつもりだった。

でも今日は目が覚めたら九時を過ぎていたので、慌てず騒がず冷静に二時間目から登校してきた。間に合わないときに焦ると事態が悪化してしまうことが多い。寝坊したらまずは落ち着こう。

「知ってる。だから直々に注意してあげてるの。朝練もそうだけど、あんまり遅刻すると内申点に響くから気をつけなさい。あたしたち、これでも受験生なんだから」

「そういえばそうだったな」

半分くらい忘れてた。

「部活を言い訳にしないでちゃんと勉強しないとね。補習とかで練習時間が減ったら目も当てられないし、なにより顧問がグチグチ言ってくるだろうから。あ、定期テストや課題も忘れないようにね。結果が出てから後悔しても遅いんだから」

大石にしてはまともな意見だ。

だけど今はなにもする気が起きないので、椅子をガタガタと揺らしながら答える。

「後悔しないで済む方法なんてあるか？」

あのときこうしていれば、と考えるのはどうしたってやめられない。失敗すればもちろん、成功したってふとした拍子に後悔はよぎる。

「どんなことでも最善は尽くしたいでしょ。それよりどうしたの？　相馬にしては受け答えがまともすぎない？　あ、もしかして中井さんが朝練を休んだのと関係あるんでしょ。ケンカでもした？」

うりうり、とからかうように肘で小突かれる。普段とは立ち位置が逆だ。大石が茶化して、俺のほうが対応に困っている。

そうか、優子は吹奏楽部に顔を出さなかったのか。深夜のやりとりが原因だとは思わないけれど、無関係とも言い切れないのが怖い。

今日はいつにも増して、早朝から色んなことが起こりすぎている。ちょっと長めに眠ったくらいでは目をそらしきれない問題ばかりだ。

そのどれもが急に現れたものじゃない。優子の目的については、いずれ向き合わないわけにはいかないことだった。それをわかっていながらごまかしてきた結果が今の状況だ。

河合さんについてもそうだ。俺の無責任な言葉がどういう結果を招くのか、きちんと想像しておくべきだった。その上、止者が見えなくなっているのだからこれ以上の追い打ちはない。

俺はいったいなにをやっているんだろう。自分でもよくわからない。

「大石さ、なんでそんなに頑張るの？」

疲労のせいかつまらないことを言ってしまう。

「俺たちはあと一年足らずで卒業するだろ。その後の吹奏楽部がどうなったってどうでもいいじゃん。それとも、輝かしい功績を残して卒業したいタイプか？」

「妙に突っかかってくるわね。いつもなら怒ってるところだけど、なんか困ってるみたいだからちゃんと答えてあげる」

大石は俺の机に腰かけて、半身をよじるようにして俺の目を見つめた。

「あたしは自分が特別なものを残せるとは思ってない。でも部員が足りないとか、そういう問題とか重荷みたいなものをなにも残したくないの。あたしがそうしてもらったようにね」

「そういうもんか」

ふやけた頭で処理するには重みのある話だ。

俺の返事が気に入らなかったのか、大石は眉根を寄せた。

「前から気になってたけど、あんた本当は『真空で聞こえる音』を演奏したくないんじゃないの？」

「え、そう見える？」

「自分で提案してきたくせに、イマイチ積極性に欠けるのはずっと気になってた。でも実現するためのアイデアも出すし、なんなの？　演奏したいのかしたくないのか、はっきりして」

「それが俺にもよくわからないんだよ」

なし崩し的に演奏実現に協力してきて、トランペットを吹くことも決めたが、はたしてそれが自分の望みかと言えば別だ。

「そういえばあれって中井さんのお兄さんが作った曲なんだっけ。わかった、ケンカの原因はそのあたりなんでしょ。ま、深くは問い詰めないであげるけど。でも一つだけはっきりさせておいてあげる」

大石は突きつけるように言った。

「仮にあんたが演奏しなくても、中井さんが演奏しなくても、あたしたちは文化祭で『真空で聞こえる音』を演奏する。もうあれは、あたしたちの目標なんだから」

早く仲直りしなさい、と最後に付け加えて大石はこちらを元気づけるように微笑んだ。

「だから部内恋愛は禁止って言ったじゃないですか」

放課後、音楽室に顔を出すと宇佐見は顔をしかめていた。

「中井と痴話《ちわ》喧嘩《げんか》をしたって噂になってますよ。それで向こうは学校を休んでるって」

「それはまた、とんでもないことになってるな」

知らない間に噂が尾ひれをつけて泳ぎ回っている。

それにしても優子は朝練をサボったのではなく、学校自体を休んでいたのか。それなら憶測が飛び交うのも無理はない。

「やっと顧問の協力を得て、これから忙しくなるってときにそういう揉め事は困ります。中井は編曲班の一人ですし、休まれるとどんどんパート譜の作成と配布が遅れて、結果的に練習時間も減ってしまうんですよ」

文化祭で演奏すると決まった『真空で聞こえる音』だが、吹奏楽部の現状を考えると恭介の遺した楽譜をそのまま演奏するわけにもいかなかった。

そもそもあいつは総譜しか遺していない。

演奏するにはこれを写譜して、パート譜にするという作業がある。その過程で優子を始め、音楽に造詣が深い部員が合同で編曲することになっていた。

それと並行して、部では引き続き部員と助っ人の募集をする必要もあるので非常に慌ただしい。ぼんやりしているのは俺くらいだ。

「もう少し頑張ってください」

「俺もやる気はあるんだけどさ、どう頑張ったらいいのかがわからなくて困ってるんだよね」

優子ともう一度話し合うべきか、それとも触れないまま『真空で聞こえる音』を演奏するべきか、いっそあの曲を演奏しないほうがいいのか。

河合さんのこともある。もし彼女ともう一度会って話すことができたら、俺はなにを伝えればいいのだろう。出過ぎた発言を詫びればいいのか、やっぱり町を出たほうがいいと主張するべきなのか。

どっちに進めば前進したことになるのか、さっぱりわからない。

「仕方ありませんね。では聞いてあげますから悩みごとを話してみてください。誰かに話すと楽になるということもあります」

「そういうの、苦手なんだよ」

腹の底に淀《よど》んでいるものを吐き出せば、たしかにすっきりするのかもしれない。だけど俺は楽になりたいわけではなかった。それができるなら、四年前にやっている。

「わかりました。なら、もうやめてしまいましょう。ぱーっと遊んで、好きなものを食べて、お気に入りの映画でも観《み》て、寝てしまえばいいんです」

「でもそれだと問題が解決しないだろ」

「心配いりません。大抵の問題は時間が解決してくれます。それでもダメなら相馬先輩以外の誰かがスマートに解決するでしょう。世の中、案外そんなものです」

「あっさりしてるなぁ」

でもそれはある種の真理なのかもしれない。

俺には思いつかないようなすばらしい方法で、優子と河合さんをハッピーエンドに導いてくれるスーパーヒーロー。それは誰か個人かもしれないし、時間という万能薬かもしれない。

そんな希望的な空想にすがることも、場合によっては正解なんだろう。

「いい考え方だ。そういうの好きだよ。でも今回はそうもいかないんだ」

「なんでですか?」

「それは……うまく説明できないけど」

優子の執着を断つことができるのは自分だけだという自惚《うぬぼ》れがどこかにある。河合さんのことを手助けするのは俺の責任だという思い上がった気持ちも。

優子も河合さんも、そして恭介のことも、すべてに決着をつける機会は今しかない。

「でも助かった。宇佐見のおかげでやるべきことがわかったよ」

これで一歩踏み出せる。

それが前なのか後ろなのかはともかく、これ以上立ち止まっている時間はない。

「それなら良かったです。ではしっかり練習してください」

宇佐見は相変わらずあっけらかんとしたものだ。

「ところで宇佐見はどうして『真空で聞こえる音』を演奏するんだ？」

「そうですね、一言で言えば餞別《せんべつ》です。お世話になった部長と、世話の焼ける先輩への贈り物としてこれ以上の曲は思いつきません。それに自分にとっても良い思い出になるでしょうし」

たしかに、思い出になるという点だけは間違いない。

「もちろん、無事に演奏できたらの話ですけど」

生真面目な顔をしてそんなことを言われるとなんだか恐ろしくなってしまう。

「おーい、部長とパートリーダーはいるか」

そのとき、音楽室に顧問の原先生が現れた。

「指揮者の割り振りについてだけど……って、どうした相馬。密談か？」

「宇佐見に励ましてもらってたんですよ」

「へぇ。いつもご陽気なくせに、珍しく落ち込んでたのか。あ、わかった。前に見かけた恋人にフラれたな。学生時代はそういうこともある。気にするな」

「え、先輩ってカノジョいたんですか。どんな人なんです？　馴《な》れ初《そ》めは？」

「そういうのじゃないって」

原先生の軽口にすかさず宇佐見が食いつく。普段は淡白な宇佐見だが、恋愛関係の話題になると妙に色めき立つことが多い。そういう話が好きなんだろう。

原先生は相変わらず、俺と河合さんの関係を誤解しているようだ。

そういえば原先生にも止者が見えるんだった。

考えてみれば、止者が見える条件というのは不思議な気がする。

俺と優子、そして原先生との間にそれほどの共通点があるとは考えにくい。同じ学校に毎日通っているとか、同じ町で暮らしているとか、その程度だろう。

今日の俺は止者が見えなかった。それはなにか普段とは違うことがあったから、と考えるべきだ。

でも、考えてみればバイトの前に児童公園へ立ち寄ったときには止者がまだ見えていた。もしなにかあったとすればそれ以降だろう。まず優子と口論したこと。あとはバイト中になにかあったような——。

「あ」

一つだけ心当たりがある。それを確かめるために、俺は原先生に質問をした。

「そういえば、先生ってどこに住んでるんですか」

「市内だ。それ以上詳しくは言いたくない。インターホンを連打されたりすると困る」

「そんなことはしませんよ。じゃあ方角だけでも」

「大体あっちのほうだ」

原先生は西のほうを指差した。

「でも鴨川の河川敷でジョギングしてましたよね」

鴨川は学校よりもさらに東にある。原先生の指差した方向とは真逆だ。

「車で近くまで行くんだよ。市内で早朝に気持ちよく走れる場所は少ないからな」

「堀川通を横切りますか」

「ああ、大体は一条通を通るよ。だからなんだ。待ち伏せとかするなよ」

「しませんって。ありがとうございました」

確認したいことは済んだ。確証はないが、それを確かめるには日が暮れるのを待つしかない。

日が高いうちにするべきことは他にある。

「じゃあ俺は楽譜を取ってきます」

まずはもう一度優子と会って話をしよう。今日の一歩目はそこからだ。

「しばらく会わないうちに、ずいぶん大きくなったのね」

「ご、ご無沙汰しています」

午後五時過ぎ。

勢い込んで学校を後にした俺だが、今は情けなく縮こまっていた。緊張で声が震える。

なにもかもが記憶のままだ。

広いリビングの真ん中にある大きなテーブルも、そこに椅子が四つ備え付けられていることもあの日と変わらない。

ただ、テーブルを挟んだ向かい側にいる女性の姿だけは、この四年で少しだけ老けたように思われた。

「急に来たから驚いたわ」

にこりともせず、淡々とした口調で先生は言った。

この人は俺にとってトランペットを教えてくれた先生で、中井兄妹《きょうだい》の母親でもある。昔からこんな態度と話し方で、幼い頃は怖かった。考えてみれば近頃の優子は先生に似ている。

なぜ俺が数年ぶりに先生と対面しているのか。事の経緯はとても短い。

中井家を訪れてインターホンを鳴らしたら、先生が出てきた。説明するとたったこれだけなのだが、俺には十分想定外の事態だ。前に優子から、先生は外でトランペットを教えていると聞いていたのでこの時間なら問題ないと油断していた。

「優子のお見舞いに来てくれたのね」

「は、はい……」

もう一つの想定外は、優子が本当に風邪をひいていたことだ。てっきり俺と揉めたことが原因で休んでいるのだと思っていた。恥ずかしい。

俺はここに来る途中、優子の機嫌を取るべく貢物を買ってきていた。先生はそれをお見舞いの品だと勘違いしてくれているようだ。

「でも心配しないで。元々微熱で、昼にはもうすっかり熱も下がったから」

「なら良かったです。じゃあ俺はこれで」

「『真空で聞こえる音』を演奏しようとしてるそうね」

手土産だけ置いて帰ろうとしたが、先生の言葉に上げかけた腰を下ろす。

家の中まで招き入れたということは当然話があると予想はついていた。だけどこれほど単刀直入に切り出されると、さすがに息が詰まる。

「ごめんなさい。言い訳をするわけではないのだけれど、優子があなたに会っていることはつい最近知ったのよ。あの子、ずっと隠してたから」

まさか優子が恭介の遺作を俺に演奏させようとしているとは考えもしなかったのだろう。それに、俺は先生に進学先を報告していない。優子の狙いを察しろというほうが無茶だ。

「こちらこそ申し訳ありません。約束を破ってしまいました」

中学二年の冬、レッスンをやめるときに俺は先生と一つの約束を交わした。それを今、現在進行形で破っている。だから顔を合わせにくかった。

「それはもういいの。だけど、あの子に付き合って『真空で聞こえる音』を演奏するのはやめておきなさい。あれは演奏するために作られた楽譜じゃない」

その言葉にはなにか確信めいたものが感じられた。

「さっき優子にも言ったのよ。恭介にいつまでもすがりつくのはやめなさいって」

「それで納得しましたか？」

「返事もしなかったわ」

「だと思いました」

熱が下がっても部屋に閉じこもっているのは、やはりふてくされているのだろう。

その原因は俺ではなく、先生との言い争いだったらしい。

半日で俺と母親の二人と口論になってしまった優子がさすがに気の毒だ。

「では自分からもお願いします。『真空で聞こえる音』を演奏するための許可をください」

ぴくり、と先生の眉が片方だけはねる。怖い。

「智成くんがそれを言い出すとは思ってなかったわ。優子のことを気づかってくれているなら、それはむしろ逆効果よ」

「でも忘れようとして遠ざけるだけじゃダメなんです。自分も最近そのことに気づきました」

俺は空回りしていたこの四年間を思い出しながら、先生に伝える。

「心残りをなくしたほうが、まだマシだと思うんです」

「それが最後の曲を演奏すること？」

「少なくとも優子はそのことにこだわっています」

「言いたいことはわかるわ。でも無理よ、智成くん。こんなこと言いたくはないけれど、あれはとても演奏できるようなものじゃない」

「難しいというのはわかります。でも、それだけで諦められるようなら苦労はしてません」

恭介がどういうつもりで、演奏に三十六時間もかかる合奏曲を作ったのかはわからない。今となってはもう知りようもないことだ。

「それに、あれはもう俺や優子だけの楽譜じゃないんです。たくさんの人が演奏を実現させるために頑張ってくれている。あの曲は合奏曲ですから、もう勝手に止まることはできません」

大石たちや止者が『真空で聞こえる音』という曲を演奏する理由はそれぞれ異なる。それでも様々な人の想《おも》いが、あの曲に込められて演奏される予定だ。

俺の目を無言で見つめていた先生は、やがて呆れたようにため息をついた。

「あなたは昔から恭介の書いた曲には意欲的だったわね。いいわ、好きにしなさい」

「ありがとうございます」

がばりと頭を下げて、立ち上がる。

「帰る前に少しだけ、優子と話をしてもいいですか」

「ええ、どうぞ。返事があればいいわね」

俺はもう一度先生にお辞儀をしてから階段を上がる。二階にある恭介の部屋、その隣が優子の部屋だ。今も昔も入ったことは一度もない。俺が入り浸るのは恭介の部屋か、地下の防音室ばかりだった。

扉をノックする。

「優子、起きてるか」

「寝てます」

すぐに声が返ってきた。

「入ってもいい？」

「ダメです。髪はボサボサだし、顔も洗ってません。服もよれよれの寝間着ですから」

「俺は気にしないけど」

「そうでしょうね。でも私が気にするんです」

前は俺の部屋まで踏み込んできたのに、反対のことはさせてもらえないらしい。

「じゃあこのまま話すけど、先生に演奏の許可をもらったよ」

「母がなんと言おうと、私はあの曲を演奏するつもりでした。それより、母とどんな約束をしたのか教えていただけますか？」

「約束って？」

「さっきリビングで話していたでしょう。約束を破ってしまったとかなんとかって」

「もしかして盗み聞きしてたのか？」

「人聞きの悪いことを言わないでください。トイレに向かう途中に、偶然聞こえただけです」

それは随分とタイミングのいい話だ。

「それで、約束っていうのはなんですか？　ごまかさずに教えてください」

優子の声に苛立ちがにじみはじめる。どうも殺気立っているようだ。この様子では観念するしかないだろう。

「四年前、お前と会わないように頼まれた。俺と関わると優子はどうしても恭介のことを思い出すだろうからって」

四年前の優子は恭介の死を受け入れられず、憔悴《しょうすい》していた。恭介が死んだのは自分のせいだとうわ言のようにつぶやく姿を今でも思い出せる。

あんな姿はもう二度と見たくなかった。

だから先生と約束をした。

「それであなたはその約束を律儀に守っていたわけですか？」

「先生と約束したのは事実だけど、それだけじゃないよ。一緒にいると恭介のことを思い出して、俺のほうがつらかった。だから逃げたんだ」

今にして思えば、先生にはそのことがバレていたのかもしれない。だから、俺の罪悪感を取り除くために「優子と会わない」という約束を交わしてくれた可能性もある。

でも結局俺はこの四年間、恭介の影を振り払うことができなかった。

「俺は恭介にまつわるなにもかもを全部捨てて、できるだけ遠くに逃げたかった。同級生の少ない高校を選んで進学したのも、バイクの免許を取ったのもそうだ。そうしたところで結局どこにも行けなかったんだけど」

中学生の頃は免許を手に入れたら、どこへでも行ける気がしていた。でも、それで思い出から逃げられるわけじゃなかった。そもそもあの頃の所持金ではバイクを買えなかったし。

今なら貯《た》めたバイト代でバイクを買うこともできるだろう。でも行きたいところもない。

すべてを忘れて遠くに逃げたいのに、どうしても後ろ髪を引かれてしまう。

だから今も、まだここにいる。

「あの頃の俺はつらいことも、楽しいことも、全部忘れてしまおうと思ってたんだ」

それがどんなに難しいことかも知らずに。

「でも結局できなかった。だからやり方が間違ってたんだろうな」

目を背けるだけではダメだった。ちゃんとケリをつけないかぎり、いつまでも後悔がつきまとう。

俺はずっと『真空で聞こえる音』を演奏する理由を見つけることができないままでいた。

大石や原先生にも見抜かれていたとおり、本当は演奏をしたくなかったのかもしれない。これまではその気持ちをごまかして優子に協力し続けてきたが、今はもう違う。

「俺は恭介への手向けとして『真空で聞こえる音』を演奏するよ」

あの楽しかった日々を、三人だけの演奏会をちゃんと終わらせる。そのために、俺は三十六時間の演奏に参加するつもりだ。

「だから優子も好きにすればいい」

あの曲を演奏することで、止者となった恭介が見つかるなんて俺は信じていない。

だが邪魔をしようとまでは思わない。その程度の弱々しい肯定だ。

扉の向こうから返事は聞こえてこなかった。それも仕方ないだろう。大体病み上がりの相手に言うようなことでもない。

「ごめん、長話になっちゃったな。もう帰るよ。あ、コンビニでアイス買ってきたから、あとで食べてくれ」

「……私がアイスを好きだったのは、子どもの頃の話ですよ」

扉越しに優子の小さな声が聞こえた。

かつて恭介は優子の機嫌を損ねるたびにアイスを買っていた覚えがある。だから俺は今でも優子はアイスが好きだと勘違いしていた。

「あの頃も、アイスが好きだったわけじゃありません。ただ兄さんが、いつも申し訳なさそうに買ってくるから……私のために買ってきてくれるから、好きだっただけです。でもそのせいで兄さんは事故に遭いました」

恭介があの日出かけた理由を、優子の口から聞くのは初めてだ。だけど、おおよその察しはついていた。

あいつは出かけるときにバスを利用する。休日は特にそうだ。そんな恭介が徒歩で出かける数少ない理由の一つが、近所のコンビニでアイスを買うためだった。

「あの日、相馬さんと兄さんはケンカをしてましたよね」

「ああ、くだらないことでケンカしてたよ」

恭介はとにかく人付き合いを嫌がった。

そのせいで友達は俺以外にいなかったし、部活にも入ってなかった。そういうところがダメだと昔の俺は偉そうに注意し、何度も押し付けがましく吹奏楽部への入部をすすめた。

今から思えば浮かれていたのかもしれない。

中学で吹奏楽部に入部した俺は、そこで初めて合奏というものを経験した。

練習は大変で、音を合わせるのは難しい。けれど他とは比べられないくらいの達成感がある。そんな合奏という体験を、恭介とも共有したかった。

そんなしつこい俺に対して、あるとき恭介は「合奏とはそもそも成立しえない音楽」だと言った。

ケンカの原因はその言葉だ。俺は合奏が好きだったから、恭介の言葉に反発した。

その翌日、俺は恭介にあいつの部屋まで呼び出された。

なんの用かと思えば、双子のパラドックスがどうとか、真空で音が聞こえるかどうかとか、わけのわからないことを言うだけだった。それで怒って家に帰った。

恭介が死んだのはその数時間後だ。

「私は兄さんに早く仲直りするように言ったんです。言い方もきつかったかもしれません。だから兄さんは、私の機嫌を取るためにコンビニへ行こうとしたんだと思います」

事故に遭ったのはその道中のことだったのだろう。あらためて優子の口から聞かされるとつらいものがある。軽々しく気に病むなとは言えない。

そして、おそらくそのアイスは二人分買うつもりだったはずだ。

恭介は俺とケンカをしたときも、よくアイスを手土産にしていたから。

「私は兄さんに会って、謝りたい」

「あいつは優子を恨んだりしないよ」

「それでも、もう一度兄さんと会いたいんです」

「そうか」

だったら止める言葉はもうない。

俺たちは正反対の理由で同じ曲を演奏することになる。それでいいんだろう。

「最後に一つだけ、教えてください」

立ち去ろうとした俺を優子の声が引き止める。

「相馬さんは、本当に兄さんと会いたくないんですか？」

難しい質問だ。

嘘をつくのは簡単だったけれど、少し考え込んでしまう。

俺が初めて止者を見たのは、恭介の葬式から帰る途中だった。

あれが幽霊か幻かはわからないけれど、もっと見たいと思った。もし幽霊なら恭介がいるかもしれない、と考えたこともある。

でも未成年が夜中や早朝に出歩くのは問題があった。だから高校に入学してすぐに新聞配達のバイトを始めた。早朝の澄んだ空気の中、俺は自転車で新聞を配達しながら止者たちを眺めて過ごした。遠回りをした河川敷で河合さんと初めて会ったのもその頃だ。

そのとき、恭介の姿を探していなかったと言えば嘘になる。あのときの俺はたしかに、恭介にまた会いたいと夢見ていた。その点では優子とやってることは変わらない。

だけど今はもう違う。河合さんと過ごすことで、俺は止者とずっと一緒にいることが必ずしも幸せなことではないと知った。

だから止者となった恭介に会いたいとは思わない。

あいつがもし生き返ってくれるならば、と考えることもあるけれど、そんなものは叶わない夢だ。なら優子への返答は決まっている。

「会いたくない」

半分は本心で、半分は嘘だ。

扉の向こう側からは、もうなにも聞こえなかった。


帰宅後、睡眠を取った俺は普段どおりにバイトをやり遂げる。昨日と違って気分も落ち着いているし、道の工事も終わっていた。だから本当に普段どおりの軽快な仕事ぶりだった。

今日も遠回りして河川敷を通るが、トランペットの音は聞こえてこない。再び止者が見えるようになった感触はあったが、河合さんがここにいてくれないと困る。

不安に駆られ、急ぎ足でいつもの場所に向かうと河合さんはそこにいてくれた。ただトランペットを持った手は下げられていて、うつむいている。

「今日は演奏しないの？」

俺がそう声をかけると、河合さんは弾《はじ》かれたように顔を上げた。そして長く息を吐いた。ため息にも見える。

「もう私のことが見えなくなったのかと思ってました」

良かった、と河合さんが小さな声でつぶやく。

「昨日は私の声も演奏も聞こえてないみたいだったので、なんだか怖かったです」

「それはなんというか、申し訳ない」

昨日、必死で右往左往しているところはしっかり見られていたようだ。恥ずかしい。

「あのときは色々あって一条戻橋を通れなかったんだ。多分そのせいで河合さんのことが見えなくなったんだと思う」

「一条戻橋、ですか？　ここからだとちょっと遠いですね」

「普段は新聞配達の途中で通るんだ。きっとあそこを通ることが大事なんだと思う」

原先生も車で通ると言っていた。そして優子の家は一条戻橋の近くだ。おそらく河合さんの弟も、御所に行くまでの道中で通るのだろう。

だから止者が見える条件の一つが、一条戻橋を渡ることなのだと推測した。

でもそれだけなら、もっと多くの人に止者が見えていなければおかしい。

きっと他にもいくつか条件があって、それらがすべて揃うことによって止者と接することができるのだろう。だけどすべての条件を解明する必要はないし、それが自分にわかるとも思えない。

「でもどうして一条戻橋が鍵だってわかったんですか？」

「一条戻橋はあの世とこの世をつなぐ橋だって昔から言われてるらしいよ。だから関係あるんじゃないかと思って」

ちなみにそのことを教えてくれたのは祖母だ。この町が好きだった祖母はとにかく色んな話を知っていたし、いつもその知識を俺に披露してくれた。それが十数年越しに俺の身を助けてくれたわけだ。

「とにかく、また会えてよかった。弟さんと揉めたって優子に聞いてから、ずっと心配してたんだ。ごめん、俺が余計なことを言ったせいだよな」

「いえ、いつかはちゃんと向き合わないといけない問題だったんです」

河合さんは淡く微笑む。

「私は弟と思い出話をすることはできても、新しい思い出を作ることはほとんどできません。それどころか、弟の日常を邪魔している」

でもそれが彼の望みだ。優子の例を知っている俺には、河合さんの弟が望むことも想像がついてしまう。

「私が死んだとき、家族と十分に別れの挨拶を交わす時間がありませんでした。だけど今度はそれをちゃんと伝えるだけの猶予があります。だから逃げるんじゃなくて、きちんとお別れをして、弟とは離れて歩いていくことにします」

「どこかに行くアテはあるの？」

「いえ、全然ありません。でもさいわい、お腹《なか》がすくことも、眠くなることもないので、どこへでも行けます」

「ああ、たしかに」

できるだけ否定的なことを言いたくなくて、変なところで肯定してしまう。

実際、体力や金銭の心配さえなければどこへでも行ける。睡魔や空腹、天候にさえ悩まされないのであれば理想的だ。止者である河合さんを縛るのは人間関係だけなのかもしれない。

それから河合さんと一緒に基礎練習をして『きらきら星』を演奏した。

あらためて俺はこの人の『きらきら星』が好きだと感じる。

この時間の終わりが近づいていることを、演奏している間だけは忘れていたかった。


光陰矢のごとし。

それから九月までの日々はあっという間に過ぎていった。

その間はすべてが順調だった、なんてことがあるはずもない。

　まずは編曲作業だ。曲の全体を把握している優子を筆頭に、作曲に心得のある部員たちが力を合わせて『真空で聞こえる音』を演奏しやすいように手を加えた。それでも演奏時間の長さからかなり苦労した、と作業に参加した宇佐見がフライドポテトを食べながら教えてくれた。

　その間、俺や大石のように編曲作業を手伝えない部員は基礎練習と並行して部員と助っ人集めに奔走した。軽音部や元吹奏楽部に声をかけて、なんとか合計四十八人の合同演奏隊を結成する頃には、五月も半ばを過ぎていた。

　それから編曲作業が済んだパート譜を人数分配るのも大変だった。あまりに枚数が多いので学校のコピー機を危うく壊してしまいそうになったほどだ。

　そこから四十八人を三つの編成に分けていく。演奏箇所にもよるが、基本的に二時間演奏して交代する形式だ。一回の演奏につき四時間の休憩が取れる計算だが、水分補給や次の演奏に向けた準備などを考えると、それほど余裕があるとは言えない。だがこれが精一杯だった。

　さらに演奏場所の問題も急浮上した。

　当初、音楽室で最初から最後まで演奏することを予定していたのだが、企画内容を知った文化祭実行委員から「体育館でも演奏してほしい」という声がかかった。

部内で話し合った結果、ステージに立ちたい部員と助っ人が多かったため受けることになったのだが、これがさらなる苦労を呼ぶことになる。

大前提として、演奏を途切れさせるわけにはいかない。

最初の一時間を体育館で演奏することになったが、そこから音楽室への移動をすみやかに済ませる必要がある。持ち運びが容易ではない楽器もあるため、編成や移動については再び検討し直すことになった。

このように昼間の吹奏楽部は慌ただしい日々を過ごしていたのだが、では夜間の演奏隊についてはなんの問題もなかったかと言えば、そっちも大変だった。

まず完成した楽譜の配布だ。これがかなり難航した。

打ち合わせをしているときにわかったのだが、止者の持ち物には触れられないし、反対にこちらの所持品を向こうに手渡すこともできなかった。となると対応策は古式ゆかしい手書きによる写譜しかない。

毎日優子と一緒に少しずつ児童公園に楽譜を持ち込み、止者たちがそれを書き写す。数十人で並行しておこなっても、書き写すだけで二週間近くかかってしまった。

そこからはパートの割り振りと練習箇所の把握だ。止者が担当する演奏時間は当初、初日の夜九時から翌朝五時までの夜中八時間だけになる予定だった。

でもどうせやるなら一緒に演奏する時間も欲しい、と思って提案すると河合さんたちも賛同してくれた。

なので二日目の夜八時から九時、つまり最後の一時間も演奏を手伝ってもらうことにした。

ここで再び問題になるのが、原先生に止者が見えるという点だ。

止者の演奏隊は年齢も性別も服装も様々な人が集まっている。卒業生だと言ってごまかすことも考えたが、部外者には変わらない。あの原先生が夜の学校に部員以外を入れてくれるとは考えにくい。止者のことを一から説明して、原先生に負担を強いるのも気が引けた。

悩んだ末、止者のことは隠したまま進行することにした。原先生には文化祭期間だけ一条戻橋を通らないようにうまくお願いすればいい。

大石には「海外にいる知り合いが夜中は演奏してくれている」という、苦しい嘘をつくことにした。諸々の事情で演奏が続いていることは証明できないけど、俺たちが休んでいる間も演奏してくれている人たちがいるから、と。

横で聞いてた宇佐見は疑わしげな顔をしていたが、大石はごまかされてくれた。基本的に人を疑わないやつなので、こういうときは助かる。

それとクライマックスの演奏は優子が指揮者をつとめられるよう調整した。吹奏楽部に止者の演奏は聞こえないが、指揮者の優子に見えていれば多少は音を合わせやすくなる。

そんなこんなで、結局全員が揃って本格的な練習を始めることができたのはセミが鳴き出す頃になってからだった。

俺の腕前が上達したのかどうかは相変わらずわからない。そもそも昔から、自分の演奏に満足できたことがあまりなかった。放課後と早朝の練習を続けている今も、昔の実力を取り戻せたのかどうかはわからないままだ。

だけど演奏するからには足を引っ張るわけにはいかない。

指が途中でもつれてしまわないように、ロングトーンでも息が続くように、まっすぐと芯のある音を響かせられるように。一つずつ地道に鍛えていくしかない。

ちなみに、文化祭期間中はバイトを休むことにした。さすがに三十六時間の演奏と並行して新聞配達まではできない。休むことについては快く許可してもらえた。

様々な問題に対してなんとか解決策を絞り出した後は、練習練習また練習である。

吹奏楽部の担当時間は一日目が午前九時から午後九時までの十二時間、二日目が午前五時から午後九時までの十六時間、全部で二十八時間だ。

三パートで割り振っても一人あたり九時間以上は演奏しなければならない。練習期間はどれだけあっても十分だとは言えなかった。夏休みはクラスの出し物の準備にも参加せず文字通り朝から晩まで練習漬けだったが、それでもだ。

とにかく演奏時間が長いので、通しで音合わせができるわけではない。なので難所をしぼって、重点的に練習した。

恭介の遺した『真空で聞こえる音』には濃淡の差が大きい。楽譜が真っ黒になるほど大量の音階を要求する箇所もあれば、少数の楽器でゆったりと演奏させるような余白の多い箇所もある。どちらにも別種の難しさがあるが、楽譜が黒いほうが音合わせは難しくなる。単純に参加している楽器と音階の数が増えるのだから当然だ。

合奏を成立させるために、練習以外にもたくさん話し合った。そうしてイメージを共有し、一つの曲を作り上げていく。

そんな、人生でもっとも多忙な夏休みが終わり、ついに九月。

文化祭はもう明日に迫っていた。

そのため今日の放課後は楽器を体育館の舞台に運び込み、貴重な舞台での練習に時間を使うことができた。何度も念入りに確認したため、少なくとも最初の一時間はうまく進められるはずだ。

「はーい、みんな注目！」

部長の大石が大きく手を振って部員に呼びかけている。

「みなさん、お疲れ様でした。前日の準備はこれでおしまいです。明日からの演奏に備えて今日はゆっくり休んでください。それじゃあ、一旦お疲れ様でしたー！」

部員と助っ人たちも声を揃えて「お疲れ様でしたー」と返す。長い準備期間はすべて明日からの二日間のためにある。

「さ、急いで帰りましょうか。私たちの準備はまだ残っています」

「そうだな」

優子に誘われるまま、並んで帰ることにした。

中井家で扉越しに話して以来、俺たちは恭介の話をしていない。俺は意図的に避けていたけれど、優子も同じなのかはわからない。

「今日からバイトはお休みなんですよね。気が緩んで、寝過ごしたりしないでくださいよ」

「見くびってくれるな、俺の唯一の特技が早寝早起きだぞ」

「そのわりには前に一度寝過ごしてませんでしたか」

「同じ轍《てつ》を踏むことはない」

などと豪語したその日のうちに寝過ごした。いや、本当はいつもどおりに目が覚めたんだけど「バイトないしもうちょっと寝るか」と思ったのが敗因だ。

待ち合わせの午前四時に目が覚めたので、あわてて支度をして家を飛び出す。

「唯一の特技さえ失いましたね」

「面目ない」

中井家の前で待っていた機嫌の悪い優子に謝りつつ、御所の児童公園へ移動した。

止者たちはすでに準備を始めてくれていたようで、聞こえるのは『真空で聞こえる音』の一節だ。

演奏が終わった後、俺はすぐに河合さんの姿を見つけることができた。どれだけ人が多くとも、黒タイツの美脚を探せばいい。この数年ですっかり見慣れた姿だ。

そんな俺の邪《よこしま》な視線に気づいたのか、河合さんがこちらに駆け寄ってきてくれた。

「相馬さん。お疲れさまです」

「事前リハーサルは順調？」

「はい、みなさん楽しみにしています。もちろん私も」

河合さんの様子が明るくて安心する。

「じゃあ早速リハーサルに混ぜてもらおうかな」

どうせこの後学校でもするが、ウォーミングアップは早くてもいい。最終確認を兼ねて、河合さんたちと一緒に演奏をした。

一時間後、日の出とともに俺と優子は町を歩く。すっかり目が覚めているのでこのまま学校に向かうつもりだ。

もうあと数時間で文化祭が始まる。それからは三十六時間、ノンストップだ。先を思うだけで気が遠くなる。

だが始めたからにはいずれ終わる。長い夢にも終わりがあるように。

どんなことも、そういう風にできている。

「そういえば相馬さん。ずっと気になっていたのですが、兄さんがつけたタイトルの意味ってわかりますか？」

音楽は音楽であってそれ以外のなにものでもない。恭介は常にそういう態度だった。その恭介が唯一『真空で聞こえる音』と名付けたというのだから、なにか意味があるのだろう。

横断歩道の信号が変わったので、注意して渡る。

タイトルの意味について、なんとなくこうかなという考えはある。正解かどうかはわからないが、学校までの道のりで話すにはちょうどいいだろう。

「そもそも三十六時間の演奏ってさ、最初から最後まで聴くことのできる人はいないよな」

何度も指摘されてきた『真空で聞こえる音』が抱える構造的欠陥だ。

人は眠くなるし、お腹も空くし、トイレにも行きたくなる。三十六時間じっと音楽に耳を傾けるなんてこと、できるわけがない。

「つまりこれは誰にも聴けない音楽ってことになる。それは音の響かない真空で演奏しているのと同じだと、なんかそういう意味なんじゃないか」

常識的な時間におさまるものなら、たとえ聴く者が誰もいない場所で演奏したとしても、演奏者だけは最初から最後まで聴くことができる。

だがこの曲は聴衆が何人いようと、演奏者が何人いようとも、最初から最後まで漏らさず聴くことは誰にもできない。

演奏した当人にさえ聞こえない音、だから真空なんじゃないだろうか。

俺の回答に優子は不満そうだった。

「でも『真空で聞こえる音』だって兄さんは言ったんですよ。聞こえるんです。だから正解ではない気がします」

「そうだな。聞こえるっていうのが、よくわからない部分だ」

真空で音は聞こえない。でも恭介は聞こえると言う。

「兄さんはどういうつもりで、そんな曲を作ろうとしたのか。明日、演奏してみればわかるのでしょうか」

優子は明け方の空を見上げて、そう言った。

そして、ついに文化祭が始まる。

さよならまでにかかる時間は

ピタリと揃った音から演奏は始まった。その手応えに原義昭は安堵《あんど》する。

合奏で大切なのは最初の一音だ。始まりでつまづくことだけは絶対に避けたい。だからこの音を揃えるためにこれまで何度も練習した。

その甲斐《かい》あって、合奏のすべり出しは好調だ。安定している。

トランペットやトロンボーンを始めとする金管、サックスやクラリネットといった木管、さらにスネアドラムなどのパーカッション。

音の出し方も扱う人間も違う楽器の音が、タイミングを揃えて飛び出してくる。迫力のある音に圧倒され、指揮棒を持つ手が震えた。緊張しているのかもしれない。まるで自分が部活動をしているみたいだ。

原は学生時代、部活動に熱心ではなかった。吹奏楽部に入部したのも友達に誘われたからというだけの理由で、放課後は練習よりも部の男子で集まってトランプをしていた時間のほうが長い。あの頃の原はそういった毎日を十分に楽しんでいた。だけど今から思い出そうとしても輪郭はぼやけている。

その点、これから『真空で聞こえる音』を演奏しようとしている生徒たちは違うはずだ。部活動に対して熱心だった分だけ、この演奏は長く記憶に残るだろう。

原は部活動との付き合い方について、未《いま》だに答えを出せていない。

生徒だった頃よりも、教師になってからのほうがより一層わからなくなっている。部活動によって将来を狭められた友人を知っているからこそ、原はこれまで生徒たちに部活よりも勉強を優先するように言ってきた。できるだけ子どもたちが苦労をしないように、痛い目に遭わないようにと考えてきたがそれもあまり正しくはなかったのだろう。

自分が生徒だった頃と今では、社会も環境も違う。それなら、かたくなに部活動を制限することのほうが彼らの将来を狭めることになりかねない。

部員たちの真剣な眼差しが原の持つ指揮棒に向けられている。その目が必死であるのと同じか、それ以上に原も必死だ。指揮をする動きが大きく、忙しくなる。

この曲はとにかく要求される音の数が多い。特に序盤はそれが顕著だった。すべての楽器が立て続けに違う音を出さなくてはならない。

生徒たちの気持ちが焦ると、曲のテンポが早くなってしまう。それを管理し、導くのが原の役割だ。無軌道に飛び出していく音を、一つの形にまとめていく。

指揮者が直接音を出すことはない。

だが合奏において欠かすことのできない重要な役割だ。演奏が破綻しないように、静かに全体を導く必要がある。

目立ちすぎず、かといって演奏者に対して遠慮しすぎない。それは教師の仕事と似ているところがある。

まだ始まって数分なのに、原も汗をかいてきた。ジョギング中とは勝手が違う、緊張の混じった冷たい汗だ。

演奏はこのあとも続く。

体育館での演奏はほんの一時間程度だが『真空で聞こえる音』はそれからも続き、すべてが終わるのは明日の夜になる予定だ。

先は長く、道のりは過酷だ。

それは演奏だけでなく、楽器を操る生徒たちの今後についても同じことが言える。思い出の価値を決めるのはいつだって現在だ。その当時楽しかったかどうかは関係ない。

未来の彼らに対して、原が力を貸すことはほとんど不可能だ。だけど、今はまだこの演奏が良い思い出になるように協力することができる。

将来彼らがこの時間を、そして『真空で聞こえる音』を練習した日々を後悔しないような日常を歩んでくれればいい。

今日の演奏を良い思い出として語り合える未来を願って、原は指揮棒を振った。

＊＊＊

原先生の指揮で始まった体育館での演奏は一時間で幕を下ろした。迫力のある良い演奏ができたという実感が、大石裕美にはあった。口元がにやけてしまう。

だけど『真空で聞こえる音』の演奏はまだまだ続く。余韻にひたっている時間はない。

時刻は午前十時。

大石はフルートを抱えたまま、早足で体育館を後にした。拍手の音に名残惜しさを感じるが、ここで集中力を途切れさせるわけにはいかない。

頭の中にこれから演奏する予定の楽譜を思い浮かべ、耳の奥で何度も練習で出した音を反芻《はんすう》する。舌の上で小さく次のメロディを転がしながら、音楽室を目指して歩いた。

合奏の練習中、曲のイメージを共有しようという話になったことを思い出す。

三十六時間もある長大な曲を無事に演奏するためには、部全体で曲に対するイメージをまとめておいたほうがいい。そのほうが音を合わせやすくなる。

部員たちからアイデアをつのった結果、吹奏楽部では季節をイメージして演奏することにした。三十六時間に四季を割り当て、それぞれイメージを固める。

最初の九時間は春だ。

スタートから二時間近くは明るく、テンポの良い華やかな曲調で進んでいく。出だしは厚みと音の数で嵐のように攻め立て、それが済んだ今は一音一音を丁寧に聴かせ、春が移り変わっていく様を感じさせる。

この演奏が難しいのは曲自体の難度だけではない。数時間置きに訪れる演奏者の交代もまた大きな問題だった。

体育館での演奏を途中で抜けた面々がすでに音楽室で演奏をつないでくれている予定になってはいるが、できるだけ早く合流したい。

九月の空気は蒸し暑く、じっとりとした汗が肌にまとわりついてくる。

階段を上がったとき、音楽室の方から演奏が聴こえて大石はほっとした。だけどすぐに気持ちを引き締め、大きな音を立てないように注意しながら音楽室に入る。椅子や譜面台は昨日のうちに準備済みだ。予定どおりの席につくと、呼吸を整えてから合奏に加わる。

演奏が始まってからまだ一時間しか経っていない。

だが先のことを考えてペース配分をするなんて、そんな難しいことをするつもりは最初からなかった。

今は演奏に勢いを取り戻すのが先決だ。

人数が少なくなったことを感じさせないよう、そして共に演奏する部員たちを先導するようにフルートの音を響かせる。

大石が楽器を始めたのは高校生になってからだった。新入生歓迎会の演奏で耳にした合奏に心を摑まれた。

特にフルートはすごい。金管楽器やパーカッションほどの音量はないのに、はっきりと透き通るような音が埋もれずに響く。その凜《りん》とした存在感に魅了されて大石はフルートを選んだ。

今の自分はあの日憧れた演奏に近づいているのだろうか。一瞬だけ胸に去来した不安を、フルートの澄んだ音色が吹き飛ばす。

練習してきた日々は自信につながる。以前は手こずった指の動きも今日はなめらかで、タンギングも崩れていない。かつて何度も失敗した箇所だからこそ、本番では淀みなく奏でることができている。

演奏がうまくいっているときは、不思議とフルートの重さを感じない。

言葉を話すよりも豊かな息遣いで、音を次々と送り出していく。

現在のパートで指揮者の役割を担っているのは後輩の宇佐見だ。彼女の美しい姿勢は指揮者として映える。今は曲調が穏やかなこともあって、その姿は優雅に舞っているようでさえあった。指先の動きにまで視線が吸い寄せられる。

宇佐見の指揮は大石の想定していたテンポよりもゆっくりだ。調子が良すぎて、前のめりになっていたのかもしれない。

諭すような宇佐見の動きにしたがって、しっかりと息継ぎをする。それから再びフルートと呼吸を合わせた。

いつも冷静な宇佐見は今指揮者として、先走りしそうな大石をなだめている。テンポの早い演奏も難しいが、穏やかな曲調を続けるのも難しい。指と肺がもどかしく、次の音を待つ。

宇佐見が大石を抑えている理由はわかっている。このあとの連符を際立たせるために、今はおとなしい音色にとどめておく必要があった。だから大石は全体に溶け込むように、優しい音色をこころがける。

これまではずっと、わかりやすい結果が欲しかった。誰かから「よくがんばったね」と褒めてもらえるような成果がないと不安だった。

その点で言えば、今回の演奏は失敗だろう。文化祭は出し物に順位をつけないし『真空で聞こえる音』の演奏で表彰してもらえるアテはない。演奏の純粋な完成度という点でも、きっと褒められた出来にはならない。無事に最後まで演奏するだけで精一杯だ。

でも、これで良いと大石は思う。

目指すべきものや、得るものに正解なんてない。必ずしも過去の姿にこだわる必要はないのだ。

大石はこの演奏を最後に吹奏楽部を引退する。大学でも楽器を続けるかはわからない。そもそも現時点では受験に合格できるかどうかも不明だ。

だからこれは自分と楽器との一つの別れになる。

宇佐見がついに、そのときが来たことを指揮棒で示してくれる。

大石は一気に息を吹き込み、音を羽ばたかせた。もう止まる必要はない。吹き荒れる花吹雪のような合奏の中を、フルートの音色は先導するように飛んでいく。

これだ。

たくさんの楽器の中でも、たしかな存在感のある美しい音。フルートが出すこの音色に憧れたから、今ここにいる。まさに会心の音だ。嬉しくてたまらなくなる。

音楽は楽しい。ただそれだけで十分だ。

他のことは、きっと全部おまけのようなものだろう。

この楽しい時間がいつまでも続けばいい。

喜びをのせて、大石はフルートと共に歌い続けた。

＊＊＊

大石のフルートは衰えることなく、輝くように音を放っている。

宇佐見志保はその音色に置いていかれないように、トランペットで追随した。大石のようにはつらつとした音は出せないが、できるだけ音色を安定させようと指先に力を込める。

午後三時過ぎ。

宇佐見はトランペットを支える腕が重くなっているのを感じていた。意識しないようにしていても、疲労は蓄積されつつある。少しずつ自分の身体が石になっていくような不自由さが全身に広がりつつあった。

演奏が始まってから、およそ六時間が経つ。

まだ全体の二割にも満たないが、さすがに演奏開始から比べると音の精度や迫力が落ちてきているのがわかる。

宇佐見は疲れを忘れようと、演奏に集中する。

合奏で大切なのは音を合わせることだ。全体はもちろんだが、まずパート内で音が揃っていなければ話にならない。

トランペットのパートリーダーは宇佐見だ。

年功序列であれば三年生の相馬がつとめるところだが、本人があっさり辞退したため、宇佐見がパートリーダーとなった。なので同じパートの部員のことはよく見ているつもりだ。

曲はトランペットの高音が長く求められる箇所に差し掛かりつつある。ここは軽やかな旋律で部屋を満たす必要があった。間違っても苦しそうに聴こえてはならない。

宇佐見は息をまっすぐ吹き込んだ。

音程だけでなく、音の強さも一定に保つように注意する必要がある。タンギングがつぶれないよう、綺麗に息を吹き込み続けるのは難しい。いつも命綱なしで綱渡りをしているような気分になる。落ちるわけにはいかないので、注意深く唇や舌に神経を集中させていく。

一年生でトランペットを担当する女子三人の音は、経験が足りないため洗練されているとは言えない。けれどきちんと相手の音を聴くことが身についているので、合奏に必要な音のまとまりとしては及第点だ。

トランペットは合奏において主旋律を担うことが多いため、良くも悪くも音が目立つ。この『真空で聞こえる音』でもその点は変わらない。だから音を外すのはもちろん、少しのズレが致命的になってしまう。

一年生の演奏に比べると、相馬の演奏には安定感があった。音を長く安定させるときは、宇佐見も息苦しさを感じる。今もそうだ。どれだけ気をつけていても、それがかすかに音を濁らせてしまう。

だが相馬の音色は一切ブレない。複雑な連符であっても、宇佐見が苦しくなるほどの長い音を求められても、音程は安定し続けている。おそらく肺活量が違うのだろう。

相馬のトランペットは、本人の性格に似合わず落ち着いた音色を奏でる。四年近く楽器に触れていないと言っていたが、おそらく単純な熟練度で言えば部の誰よりも高いだろう。

だけど、常にぎこちなさがあった。

まるでもう別れた恋人と無理して踊っているかのような、気まずさや後悔みたいなものが音に滲《にじ》んでいる。それがノイズとなっていた。

ようやくトランペットパートに短いインターバルが訪れる。一旦マウスピースから口を離し、唇を休めた。

周囲の演奏を聴きながら、宇佐見はふと考えこむ。

編曲に参加した宇佐見は、他の部員と比べても『真空で聞こえる音』について把握しているという自負がある。それだけにずっと疑問があった。

なぜ『真空で聞こえる音』は三十六時間もの演奏時間があるのか。

宇佐見に作曲者の考えを知ることはできない。だが自然とそうなったわけではないことは楽譜から読み取ることができた。

たとえば楽器の数。現在演奏している晩春のパートは同時に演奏している楽器の数が少ない。トランペットとトロンボーン、そしてチューバだけだ。すべて金管楽器で構成されている音は、春の終わりを重く奏でる。

今のように『真空で聞こえる音』は、同時に演奏する楽器の数を極端にしぼる箇所が時折目立った。周囲を流れる音楽のテンポもスローで、こうして宇佐見も息をつく暇を与えられている。まるで意図的に演奏者を休ませているようにさえ感じられた。

かと思えば序盤のように、無数の音符を叩きつけるような残酷さも見せる。

無秩序さと同時に常識的な側面も併せ持っている曲。

であれば、演奏時間を長くしたことにもなにか意味があるはずだ。

今はまだわからないけれど、もう一度最初から演奏してみたらまた違った見え方になるかもしれない。

音と一緒に降ってきたかのような発想に、宇佐見は鳥肌が立つ。

今の演奏は二度とできない。

だけど『真空で聞こえる音』自体は何度でも演奏できる。

ほんの数小節のインターバルが終わり、宇佐見は再びトランペットを構えた。

気持ちが軽くなったせいか、さっきまでこわばっていた身体が今はしっかりと楽器を支え、肺もきちんと膨らんでいる。

自分にとってこの演奏は最後じゃない。そんな当たり前のことに今さら気づいた。

まだ演奏が終わっていないのに先のことを考えるのは気が早いとわかっている。

だけど、未来に希望を抱くことはこの演奏を続けるための力になる。

ゆるやかに去りゆく春の音の中で、いつの間にか宇佐見はトランペットの重さも忘れ、軽やかに音を奏でていた。

＊＊＊

日中から続いてきた音楽を引き継いだ河合華の手には、まだそのときに感じた緊張感が残っていた。

午後九時半。

止者たちの活気あふれる演奏の中で、華は失敗できないと強く感じた。でもだからこそ、気負いすぎずに演奏しようと自分に言い聞かせる。

一緒に演奏している仲間たちは年齢も経歴もバラバラだ。持ち寄る楽器も様々で、たとえば、カスタネットやリコーダー、鍵盤ハーモニカといった楽器も演奏に参加していた。

フルートと共にリコーダーが軽やかな音を加え、鍵盤ハーモニカの豊かな音色が彩りを足してくれる。カスタネットのリズムに合わせて、華も伸びやかな音を奏でた。

明るく楽しい演奏は、華の気負いを拭い去ってくれる。

自分たちが持ち寄るようにして作り上げる合奏はとにかく型にはまらない。混沌としている中で、かろうじて音がまとまり、合奏として最低限の体裁を保っている。

仲間たちとおもちゃ箱をひっくり返したような演奏をするのは楽しい。だからこそ楽曲の中で訪れるインターバルの瞬間は、寂しさと綺麗な余韻に包まれる。

華はトランペットを下げるのも忘れて、その音に聞き入りながら相馬とのことを思い出していた。

相馬と出会ったのは偶然だった。

河川敷でこっそりトランペットを吹いていた華のところに相馬は突然現れ、それから演奏を聴いてもらうようになった。名前も知らなかった頃の相馬は口数も少なく、どこか寂しげで、まるで野良猫のようだったことを覚えている。

彼との関係を変えたのは一つの楽譜。この『真空で聞こえる音』がきっかけで、それまで以上に深く知り合うことになった。

それから相馬についてたくさんのことを知った。

華以外の人と話すときはよく冗談を言うこと、不自然なくらいよく笑うこと、そしてトランペットを演奏できること。

今はこうして、卒業することの叶わなかった高校の音楽室で同じ曲を演奏している。現在の吹奏楽部と入れ替わってから、もう三十分は経つだろうか。

短いインターバルが終わると、演奏は再び加速する。華は意識を楽器に戻した。

合奏のイメージが四季であることは、相馬たちとすでに共有している。だから自分たちが演奏している部分が夏に当たることを華たちは知っていた。

ジリジリと道を焦がす日差しのような、低い音が際立つ。高音に比べると低音は耳ではなく肌で感じる部分が強い。

つま先から髪の毛まで全身を細かく震わせる、唸《うな》るような音が響く。普段とは異なり、華はトランペットの音を目立たせないように添えていく。

華は自分の出す音の中に、相馬の影響を感じていた。

相馬の音色は穏やかで、主張しすぎない。目が覚めるような衝撃はないけれど、いつまでも聴いていたくなるような優しさがある。

演奏を引き継ぐ前に、相馬とは少しだけ話をした。すでに十二時間近い演奏を続けていた相馬は、さすがに普段よりも疲れた顔をしていたことを覚えている。

そんな相馬は華の前で、迷うように何度も視線をさまよわせていた。華の感覚で言えば、相馬は口下手だ。だから彼が想いを言葉にするまで時間がかかることを知っている。

「弟さんとのことどうなったのか、訊いてもいいかな」

相馬はとても控えめに、困ったような顔をしてそう尋ねてきた。

華はあれから弟とのことを相馬に話していない。

以前弟とのことを相談したとき、相馬はとても気に病んでいた。だから彼に負担をかけないように黙っていたつもりが逆効果だったようだ。

「あれから何度も話し合って、この町を出ることは伝えました。納得してくれたわけではないんですけど、姉さんの好きにすればいいとも言ってくれました」

本当はもっと早く離れるべきだったことはわかっている。けれど、河合も残してきた家族のことが気になっていた。自分が近くにいることで、弟の生活を妨げていることには気づいていても、離れがたい情のようなものがあった。

相馬に相談したのは、誰かに背中を押してもらいたかっただけだ。自分が家族と離れる選択が正しいと、誰かに肯定して欲しかった。

そんな自分のせいで、相馬を悩ませてしまったことは今でも申し訳なく思っている。

それなら良かった、と安堵した様子でつぶやく相馬に華は尋ねた。

「相馬さんのほうは、楽しく演奏できていますか？」

相馬が『真空で聞こえる音』に対して複雑な感情を抱いていることは河合も察している。だからこそ心配していた。

「楽しんじゃいけないんだ。これはあいつと決別するための演奏だから」

あのときの相馬は暗い顔をして、そう言った。

曲調が変わる。

穏やかだった楽譜は再び密度の高い音符を要求し、河合は硬く冷たい音を雨のように降らせていく。短く、絶え間なく、息が詰まりそうな箇所だ。自然と指がこわばる。

華は相馬の抱えている事情を詳しくは知らない。彼はそれを明かしてはくれなかった。だけど演奏を実現させるために努力してきたことは知っている。

だから河合は相馬に言った。

「なんのために演奏するかなんて、決めなくたっていいじゃないですか。あんなにステキな曲なんですから、たとえ別れるためだったとしても楽しく演奏しましょう」

華の言葉を聞いて、相馬は少しだけ微笑んでくれたことを思い出す。

豪雨のような演奏でさえも、華と仲間たちは楽しく演奏をしていた。気持ちが暗くなれば、喉も固くなる。楽譜に応えるためには柔軟な音が必要だ。それには今のように、楽しく演奏したほうがいい。

家族と離れるときも、そしてこの町を去るときも、華はできるだけ明るく別れたいと思う。

今、仲間たちと演奏しているこの時間は楽しく、そして明るく演奏できている。

音だけでなく、演奏する仲間たちの表情も生き生きとしていた。

河合はこれまでも様々な曲を彼らと一緒に演奏してきた。幽霊のようになってから過ごす夜は、なにもしないでいるには長すぎる。

だけど『真空で聞こえる音』の演奏は、そんななにもしない夜よりも一層長い。自分たちだけでは演奏することはもちろん、聴くことさえままならない曲だ。

この曲が自分たちの夜を変えた。

できるだけ丁寧に河合はトランペットで音符をなぞる。

音のつなぎ目も違和感なくなめらかにつむぎ、この一瞬を心のなかに刻みつけるように吹く。

真っ暗な音楽室は長く楽しい演奏を吸い込み、暗闇に溶かしていくかのようだった。

＊＊＊

兄の遺した『真空で聞こえる音』について、中井優子はあらためて振り返る。

長さばかりが話題になるが、もっとも特徴的なのはソロパートの多さだ。少なくとも一時間に一度、多いところでは数分おきにソロを要求してくる。特に後半は多い。

その楽器が出せるすべての音を確かめるように、兄の楽譜は様々な音階を求めてくる。まるで演奏者は、楽器の持つ音域をすべてあますことなく取り扱えて当然だと言わんばかりだ。

演奏者を突き放すような楽譜は、兄の性格を象徴している。

なんの疑いもなく、それができると信じていたのだろう。その信頼がどれほどの重圧だったのかを、相馬と同じ演奏者の立場になった今なら少しだけ理解できる。

今はちょうどクラリネットのソロパートだった。

唯一立ち上がっている優子は、兄の書いた無機質な音符に苦労していた。一番低い音域から、ゆっくりと高い音域まで駆け上がる。この間、兄の楽譜は息継ぎを許してはくれない。当たり前のように循環呼吸を求めてくる。

循環呼吸とは、口で息を吐いたまま鼻から空気を吸い込むという特殊奏法だ。こうすることで音を途切れさせないまま、新しい空気を肺に取り込むことができる。

仕組みは単純だが、実際にやるのは簡単ではない。適切な指運びとタンギングを両立させながら、さらに循環呼吸を維持するのはどれだけ練習しても、優子には一分が限界だった。

どうにかソロパートを無事に吹き終える。

脱力して倒れ込みたいくらいの疲労感があったが、演奏はまだ続く。静かに着席すると、再びクラリネットを構えた。

文化祭二日目はもうじき昼を迎えようとしている。開始からおよそ二十七時間程度が経過した。この曲の秋もまもなく終わり、やがて冬を迎えるだろう。

昨夜は学校で一夜を過ごした。ほとんどの部員は多目的室に布団を敷いて並べ、唯一の男子部員である相馬は顧問の原とともに宿直室で眠ったらしい。

ゆっくり、とまではいかないまでも休息を取ることができた。そのおかげで一日目の終盤に比べると、今の演奏はある程度勢いを取り戻している。

とはいえ、完全に疲労が抜けたわけではない。音を外すようなことはないが、昨日と比べると全体的に迫力に欠ける。

優子はあまり眠った気がしない。寝ていても音符に追いかけられるような夢ばかりを見てしまい、気が休まらなかった。

現在、音楽室で演奏を続ける十数人の中には相馬の姿もある。

子どもの頃の優子は、兄がなぜ自作の楽譜を相馬に演奏させたのか理解できなかった。

相馬の他にも母のレッスンに通う生徒は何人もいたし、その人たちのほうが上手で、練習に対しても熱心に思えたからだ。

当時の相馬はあまりトランペットが好きそうではなかったし、レッスンにも乗り気ではないように見えた。そもそもまともに音も出せていない。そんな、すぐにやめてしまいそうな人に兄の楽譜を演奏させるのは納得がいかなかった。

「どうして、あの人に演奏してもらおうと思ったの？　ヘタなのに」

幼い優子の質問に対して、兄は新しい楽譜を書く手を止めないまま簡潔に答えた。

「一番トランペットにこだわりがなさそうだったからだ。でないと僕の曲を吹こうだなんて考えてもくれないだろう」

兄がそう納得している以上、優子も反対はできなかった。けど納得もできない。

あの頃の優子は相馬が好きではなかった。

直接話したことはないが、レッスンに来る姿を何度か見ている。いつも落ち着いている兄とくらべて、相馬は大きな声を出すし、感情表現も大げさだ。子どもっぽい。

それでも兄の作った曲を聴きたくて、二度目に演奏されるときにはこっそり地下室へ降りた。

どうせ大したことない。期待してもしょうがない。

自分にそう言い聞かせながら防音室の扉を薄く開けて中をのぞいた、そのとき。

それまで見たこともないほど真剣な顔でトランペットを演奏する相馬の姿と、彼の操る音色に、優子は簡単に心変わりした。

思い返せば、多分あれが初恋だった。

だが、それももう昔の話だ。

まだ続く『真空で聞こえる音』の演奏の中で、優子は深く息を吸いながら周囲の演奏に耳を澄ませる。

現在の相馬は決して下手ではない。音程も合っているし、パートとしても揃っている。申し分のない演奏だ。

だけど、かつては輝いて聴こえた相馬のトランペットの音色はすっかりぼやけている。平凡で、当たり障りのない、魅力に欠けた音だ。

悪い印象はない。そつのない演奏だと評価する人もいるだろう。

そんな誰の耳にも残らない目立たない音は、優子の思い出に深い傷をつけていく。

かつての相馬の演奏はこんなものではなかった。

あの頃を知っている優子だからこそ、欠けてしまったものの大きさに打ちのめされる。

きっとあの人はもう音楽も、トランペットも、好きではないのだろう。それが言葉にしなくても音から伝わってくる。

この演奏が終わるとき、私は同時に自分の初恋が終わったことを知ることになる。優子にはそんな暗い確信があった。

曲がまた転調する。演奏者を自由気ままに振り回す旋律に翻弄されて、どうにかついていくので精一杯だ。優子はトランペットに傾きかけていた意識を、自分のパートに戻す。

クラリネットは演奏に華やかさを与える楽器だ。

中学の吹奏楽部に入部したとき、トランペットを選ばなかったのにはいくつか理由がある。

単純に競争率が高かったこと、母に教えを請うのが嫌だったこと、そして当時は相馬の演奏を超えられる気がしなかったこと。どれも技量としてではなく心情としての問題ばかりだ。

トランペットを避けて選んだ楽器だけど、クラリネットのことは気に入っている。黒い見た目も、それに反して明るくてかわいい音が出るところも好きだ。だから高校でもクラリネットを選択した。

演奏中の音楽室は常に扉を開け放している。そのため入り口近くで演奏を聴いている生徒や保護者がいた。そこには優子の母も立っている。

母との関係は難しい。

母の判断が正しいことを優子は理解しているつもりだ。相馬と約束して自分と距離を置かせたことも、家でトランペットのレッスンをしなくなったことも、すべて優子を思いやってのことだというのはわかっている。それでも納得できなかった。今もまだ飲み込めないでいる。

この演奏の直前に、母とは少しだけ話をした。せっかくの休憩時間に会いたい相手ではなかったけれど、出会ってしまったのだから仕方がない。

「不器用なのは、恭介もあなたも同じね」

母のその一言が、優子は気になった。兄は器用だったはずだ。でなければ作曲なんてできるはずがない。

「わからないの？『真空で聞こえる音』にしても不器用そのものでしょう。あの子には口実が必要だった。つまりあれは仲直りのために書いた曲よ」

たしかに相馬と兄はよく仲違《なかたが》いをしていた。

いつも相馬が一方的に怒るような形だったが、あれが二人にとってのケンカだった。

「あの楽譜は、ずっと自分勝手な作曲しかしてこなかった恭介が初めて友達のために作ったものよ。色々な人と一緒に演奏する喜びを知った智成くんのために書いた。だから唯一の合奏曲で、演奏時間を長くしたのはそのせいよ」

母の言葉の意味を、演奏の中で考える。

静かな時間に一人で考えるよりも、兄の遺したメロディを聴いている今のほうが答えに近づけるはずだ。

優子が作曲中の兄に「今度はどんな曲を作るの？」と尋ねると彼はいつも丁寧に答えてくれた。言葉は抽象的でよくわからなかったけれど、それでも兄とそういった話をするのが優子は好きだった。

あのとき、兄から聞いたのは合奏曲で、三十六時間は必要で、これは真空で聞こえるような音だという話だけだった。

優子に兄の考えを読み取ることはできない。だけど母は断言した。

「短い時間なら一人で演奏できてしまうじゃない。合奏曲でも主旋律だけを追うようにアレンジすれば独奏ができないわけでもないわ。私なら十二時間もあれば十分だと判断するけれど、きっと色々な人や状況を想定して長くしたんでしょうね」

たしかに三十六時間もあるとなれば、大勢の人の力を借りる必要がある。

実際に、吹奏楽部だけでなく止者の協力があったからこそ、演奏はここまで続けることができた。

「でも、そうね。あのとき、あなたの気持ちを考えなかったのは私の落ち度だわ。ごめんなさい」

優子も母の気持ちを考えなかった。

無表情の奥にどんな感情が潜んでいるのか、考えもしなかった。兄を亡くして悲しいのは、同じはずなのに。

「演奏、聴いていってもいいかしら？」

兄の遺した最後の曲を聴きたい。

様々な苦言を呈した母が、心の底ではそう思っていたことくらいは、優子にも想像できた。

だから優子は『真空で聞こえる音』を演奏する。

家族と、そしてなによりも自分のために。

兄の楽譜に対する理解ならば、相馬にも負けていないという自負があった。特に今の相馬に負けるつもりはない。

兄の無慈悲な要求に、優子のクラリネットは的確な音で応えていく。そして兄の頭を満たしていた音楽を、現実のものとして出力し続けた。

＊＊＊

イヤホンからは『真空で聞こえる音』の演奏が流れている。

大石の発案で、吹奏楽部の演奏はインターネットで生配信されていた。放送部の協力を得て、学校のホームページでずっと垂れ流しているけれど、聴いているのはきっと部員だけだ。休憩中に、曲が現在どのあたりかを把握するのに役立っている。

特に、今のように演奏から離れているときには重宝した。

午後五時過ぎ。

演奏が始まってから三十二時間が経過した。

俺はまだまだ元気いっぱい、と言いたいところだけどさすがに満身創痍《まんしんそうい》だ。肺と唇を酷使しすぎて、目の前がチカチカする。ストレッチをしても、肩のかたさと腕のだるさが抜けない。

とはいえ、現在進行形で常識はずれの演奏をしているのだから、これくらいで済んでいるのはむしろ幸運だろう。担当のパートが終わったばかりなのであと二時間は休憩できる予定だ。

演奏は今もまだ音楽室で続いている。

そんな最中、俺は学校を離れて町を散歩していた。

もちろん目的はちゃんとある。一条戻橋を通っておくためだ。一日に一度はここを通っておかないと、止者である河合さんたちの姿を見ることができない。本当は自転車を使ったほうが早いのだが、気分転換を兼ねて徒歩でここまで来た。

同行者も一人いる。

隣を歩く優子も俺と同じようにイヤホンをしていた。横顔を見るかぎり、普段と様子は変わらない。疲れはあるはずだが表に出さないのはすごいことだ。俺は笑ってごまかさないと、なんでもすぐ顔に出てしまうのでうらやましい。

一条戻橋から堀川を見下ろす。細い水の流れはずっと南にまで続いていた。

昼間に優子と二人で橋を渡るのは、どこか懐かしい。欄干に背を預けると昔の出来事が目の前によみがえってくるようだった。

中学の入学式の日。

着物姿の先生と俺の母親がにぎやかに話している数歩後ろを、新しい制服に袖を通した俺と恭介は優子と三人で歩いていた。

優子が「花見をしたい」と言ったのはちょうどこの橋を通りかかったときのことだ。レジャーシートを敷いて、お弁当を広げて、と明るく語っていた。円山公園《まるやまこうえん》や御所、植物園に行きたいと。

それに対して「花見ならここで十分だよ」と穏やかな口調で恭介が返事をする。堀川でもこんなに桜が咲いているから、と言って落ちてくる花びらをつまんでいた。

もういいです、とすねた優子が走って橋を渡って行ってしまう。その小さな背中が、今でも見えるような気がした。

恭介が困ったような顔をしていたことも覚えている。なんで優子が不機嫌になったのか、本当にわかっていない顔をしていた。

だから俺は笑って、今日はアイスを買って帰ったほうがいいと教えてやる。

そうするよ、と恭介はまた落ちてくる花びらを細い指で器用につまんだ。

あの日は桜が満開で、でも風が強かったからたくさん舞い散っていた。俺も真似《まね》して手を伸ばしてみたけれど、花びらは指先を逃れて落ちていく。

あのときと違って、九月の一条戻橋に桜の花は咲いていない。

今は恭介が死んでから四度目の夏だ。暑くて、嫌になる。

「優子」

俺が声をかけると、優子はイヤホンを外した。

「どうかしましたか？」

「今のうちに言っておきたいことがあってさ」

言うべきかどうか迷った。本当は今でも迷ってる。

ここまでずっと知らないふりをしてきたのだから、いっそこのままでもいいんじゃないかと考えなかったわけじゃない。

けれど結局黙っていることはできなかった。

イヤホン越しに聞こえる演奏は盛り上がりを見せている。まるでクリスマスソングのように、キラキラと輝く音が軽快に響いていた。

俺もつけていたイヤホンを外す。

ずっと続いていた演奏が、今だけは聞こえなくなった。

「『真空で聞こえる音』を作ったのは、恭介じゃないんだろ」

優子の顔色がさっと青ざめた。だが次の瞬間にはその動揺も表情から消える。

「どうして、そう思うんですか？」

「理由は色々あるけど、一番は時間だ。恭介は毎月必ず曲を作っていた。俺はあいつが死ぬ前の月も新曲を演奏している。それから一ヶ月足らずで、三十六時間もある曲を書き上げられたとは思えない」

ましてや恭介にとっては初挑戦となる合奏曲だ。想定する音の数も、書き込む音符や指示記号の数も、独奏曲よりずっと多くなる。仮に曲をすぐに思いついていたとしても、それを手書きで楽譜に出力する時間が足りなかったはずだ。

「だから優子、あの曲はお前が完成させたんだ」

優子がなぜ四年経った今になってこの曲を演奏しようとしているのか。それは恭介が死んだ直後はまだ楽譜が完成していなかったからだ。

優子には編曲ができるほどの能力がある。恭介の遺した楽譜をもとに、それを完成させることも不可能ではなかったのだろう。

だから今なのだ。

三十六時間の演奏時間があるとされる書きかけの楽譜を、破綻なく完成させるのに四年という時間がかかったとしても驚かない。むしろ上出来なくらいだ。

「相馬さんは最初から気づいていたんですか？」

「違和感はずっとあったよ」

あれから四年経っていたこともあったし、練習しているときには何度もその考えが脳裏をよぎった。

「でも、確信したのは最近だ。演奏してみるまでわからなかった」

ここまでの三十二時間、多少のミスはあれどもここまで無事に演奏できている。それがなによりの証拠だろう。

「もし恭介が本気で作っていたら、いくら編曲してもきっとこんな風には演奏できなかっただろうからな」

「そうですね。もっと常識はずれの、でも魅力のある曲に仕上がっていたと思います」

優子は力が抜けたようにうなずいた。

「相馬さんのご推察どおり、あれは私が完成させた楽譜です」

推測が当たっていても、喜ぶ気にはなれない。

でもこれは必要な指摘だった。

もし本当に『真空で聞こえる音』が恭介の遺作だったなら、演奏するだけで満足できたかもしれない。しかしそうじゃないとすれば、話は変わってくる。

「兄さんはいなくなる直前、今作っている曲について話してくれたんです」

「真空でも聞こえる音、ってあいつが自分で名付けたんだよな」

「はい。この曲には長さが必要だとも言ってました。少なくとも三十六時間は必要だと。でも兄さんはそれを完成させることができなかった。部屋には楽譜が書きかけの状態で残っていました」

「そこから一人で完成させたのか？」

「他にやりたいこともありませんでしたから。さいわい兄の遺したお手本はたくさんあったので、なんとか形にすることはできましたよ」

白紙の五線譜と、書きかけの楽譜の中で優子は長い時間をかけて『真空で聞こえる音』を完成させた。止者となった恭介を探すのと並行して作業したのだろう。

「どうして最初に本当のことを言ってくれなかったんだ？」

「言えるわけがないでしょう」

優子が自分の三つ編みを手でぎゅっと摑んだ。

それはまるでなにかを我慢するような仕草だった。

「相馬さんは兄さんの曲にしか興味がなかったじゃないですか」

「別にそんなことは――」

「違うとは言わせません。ずっと見てました。相馬さんは兄さんの作った曲を演奏するときは楽しそうでしたから覚えてます。兄さんも嬉しそうでした」

「それはあんまり記憶にないな」

中井兄妹と過ごした十年分の記憶を探ってみても、恭介の感想というものを聞いた覚えがない。演奏会で素直に俺を褒めてくれたのはいつも優子だけだった。

「私だけが仲間外れでした」

「すねてるのか？」

「わかりません。自分のことなのに、色々なことがわからないんです。兄さんがいなくなったとき、本当に悲しかったのかどうかすらもう覚えてません」

優子は懺悔《ざんげ》でもするかのように、視線を落として語る。

「私が『真空で聞こえる音』を完成させて、それを演奏すれば兄さんが帰ってきてくれるって信じたかった。でも結局それを口実にして相馬さんと会ってる。私はただ、兄さんのことを利用してあなたの気を引きたかっただけなのかもしれません」

耐えるように口元を引き結んだ優子の姿を見て、俺はようやく四年前の間違いに気づいた。

恭介が死んだあのとき、俺は優子と一緒に悲しむべきだったのだ。みっともなく泣いて、恥も外聞もなく落ち込むほうが良かった。

だけど、俺はそうすることができなかった。

今もできないままでいる。

俺もまだ心のどこかで恭介の死を受け入れることができていないのだろう。

だから慰めの代わりに言った。

「ありがとう、優子」

「どうしてそんなこと言うんですか？　私、ずっと嘘ついてたんですよ」

「でも『真空で聞こえる音』を完成させてくれた。それには感謝しなくちゃならない」

優子が恭介の死を受け入れるためには『真空で聞こえる音』を書く必要があった。

そしてそれを演奏する必要もあった。きっと俺にとっても同じだろう。

「心配しなくても、演奏が終われば気持ちもはっきりするだろう。そのときには思い切り泣けばいい」

「なんですか、それ。もし、私が泣けなかったらどうするんですか？」

「そのときは俺がお前の分も泣いてやる。わんわん泣くからできるだけ優しくしてくれ」

「相馬さんと一緒にいると、悩んでるのがバカみたいに思えます」

そう言って優子は顔を伏せた。

声が震えて聞こえたので、俺は一歩だけ優子との距離を詰める。

多くの人にとって『真空で聞こえる音』の作曲者が誰かなんてことは、大した意味をもたない。恭介が書いていようと、優子が完成させていようと、どちらでも構わないはずだ。

だが、俺と優子にとっては違う。

このまま気づかないふりをしていれば、無事に演奏を終えたとしても優子はどこか罪悪感を抱えたままになってしまっていただろう。なら、こうして正面から指摘したことは間違っていないはずだ。

「なんだったら今、泣いてもいいんだぞ」

「泣きませんよ」

優子は決然と言い放つと鼻をすすり、目元を手のひらでこすった。

「今泣くと、演奏に支障をきたしてしまいますから」

そう言って、優子は数歩後ろに下がる。

「相馬さんの冗談を真に受けるのは、その後にします」

数時間後、午後八時。

長かった演奏も残り一時間だ。

多くの演奏者が繰り返しバトンをつないでくれたおかげで、ここまでたどり着くことができた。協力してくれた人たちのおかげで、俺は今この音の中にいられる。演奏の最中、最後の入れ替わりが行われていた。優子が原先生から指揮を引き継いで壇上に立つ。

吹奏楽部と助っ人、合わせて数十人とそれを見守る原先生。大抵の人に見える景色はそれがすべてだ。

だが俺にはもう一つの楽隊が見えていた。トランペットを構える河合さんを始めとする止者の演奏隊だ。彼女たちもまた音楽室にいて、これから合奏に参加してくれる。このクライマックスは唯一、二つの楽隊が同時に演奏する箇所だ。

みんなには見えないし、聞こえない。でもたしかにそこにいる。それがなにより心強かった。

だけどその合奏を指揮するには、止者の音が聞こえる人間でなくてはならない。最後の演奏で優子が指揮をつとめるのはそういう理由だ。

楽譜に刻まれた短い空白が終わる。指揮者の入れ替わりは無事に済んだ。優子の持つ指揮棒が風を切るように鋭く動く。

そしてついに最後の幕が上がった。

俺は自分のトランペットに長く、そしてしっかりとした息を吹き込む。先生に何度も言われた〝芯〟が今このときだけは音に宿ってくれればいいと願う。

この金ピカの楽器と一緒に演奏するのもこれで最後だ。もうすぐ長かった演奏が終わる。安堵感とかすかな寂しさを追い出して、俺は神経を研ぎ澄ませる。

まず聞こえるのは宇佐見のトランペットだ。正確な音階を刻み、同じパートを導くような規則正しい旋律が頼りになる。

河合さんのトランペットも伸びやかで気持ちのいい高音を響かせてくれている。トランペットの高音は室内の空気をしなやかに震わせていた。

フルートにはあまり使わない形容だが、大石が扱うと唸るように力強い。音量では負けていても、存在感ではどの楽器にも負けていない。多少楽譜や指揮者の指示を無視しているが、弾けるような音は聞く人を楽しませてくれる。

優子はそんな暴れまわる楽器たちと踊るようにして指揮棒を振るう。

吹奏楽部員に止者の演奏は聞こえていない。それなのに室内の音は不思議なくらいまとまっていた。本来なら起こり得ないことだ。何度も音合わせをした楽団みたいに、すべての楽器の音が一つとなって放たれている。まるでそれは生きているかのような活力に満ちた音だった。

曲は加速し、そしてついにトランペットのソロパートが訪れる。

優子に導かれるまま、タイミングを逃さずに俺は立ち上がった。

今現在、この場で演奏しているのは俺だけだ。そのことに孤独感を覚える。急に様々な音が消えてしまったせいかもしれない。九月はまだ暑く、部室には汗と制汗スプレーのにおいが充満している。それなのに、俺は寒さを感じた。

吹奏楽部は恭介の作った『真空で聞こえる音』に四季を与えた。春で始まるそれは、当然のごとく冬で終わる。

ならば、この曲において降り積もった雪が溶けることはない。寒さが和らぐことも永遠にない。

雪が音を吸い取るように、俺の耳からトランペットの音を奪っていく。

寒さでかじかんだみたいに、指先の感覚が鈍くなる。

空気が冷たく薄くなっていって息苦しい。呼吸の仕方を忘れてしまったようだ。

さっきまで聞こえていた他の楽器の音が聞こえない。

息苦しさに目を瞬《しばた》かせる。優子の持つ指揮棒、入り口に立つ原先生、どちらもぼやけていてはっきりとしない。そのせいか、原先生の隣に誰かいるように見えた。

まるで夢を見ているかのように、輪郭がにじんで視界が曖昧になっていく。

それでも、見間違えるはずがない。

開けたままになっている音楽室の入り口に、見慣れた人影が立っている。それが誰なのか、俺には考えるまでもなくわかった。

中井恭介がそこにいる。

今、この演奏を聴いている。

止者なのか、幻覚なのか、判断がつかない。だが中学生のままの恭介が見えた。他の景色はすべて色を失い、恭介の存在から視線をそらせなくなる。

全身から汗が吹き出す。

なのに寒さで肌が粟立《あわだ》つ。

いよいよ自分が息をしているのかどうかがわからなくなる。記憶のままに指はピストンを押し、肺からなけなしの空気を吐き出すが、トランペットがどんな音を出しているのかわからない。まるですべての音が遠のいていくようだ。どれだけもがいても近づく気配がない。

けれど、演奏は続いていて、俺はまだ呼吸を止めるわけにはいかなかった。

本当はずっと訊きたいことがあったんだ。あいつが生きていた頃から何度も尋ねようとして、そのたびに怖くて口に出せなかった言葉が。

俺は一度くらい、お前の期待に応えることができたのか。

お前の想像する音楽を、頭の中にある音を、実際に聴かせることができたのか。

それがずっと気になっていた。

演奏するのが俺じゃなかったら、もっと上手な誰かだったら、お前はもう少し他人の言うことを聞いてくれたんじゃないか。

もっと色んな人と接して、トランペット以外の独奏曲や、たくさんの合奏曲を作って、みんなに好かれて、認められて、満足のいく演奏を聴くことができたんじゃないのか。

いや、違う。俺が不安だったのは、本当に知りたいことは、たった一つだ。

俺は最後までちゃんと、お前の友達でいられたのか。

本当は言葉にして確かめたい。だけどそんなことを直接友達に尋ねるなんて、たとえ死んでもできなかった。

だからトランペットを吹く。

これまで一度も満足させられなかったとしたら、今この演奏でその汚名を雪《すす》ぐしかない。

一緒に過ごした十年間と、楽譜に対する礼だ。俺に出せる音楽を全部くれてやる。

だから、これでお別れだ。

この音楽があれば寂しくないだろう。お前も、優子も、そして俺も。

いつかまた、同じ楽譜の前でケンカをしよう。

目が乾いて、まばたきを繰り返す。そのせいで恭介の表情はよく見えなかった。

だけどなにも言わないことだけはわかっている。それでいい。俺とあいつの演奏に、言葉が必要だったことなんて一度もなかった。これからもない。

一分とないはずの時間が、これまでの三十五時間よりずっと長く感じられた。

部屋の照明を、手にしたトランペットが反射する。ピカピカと輝く姿だけは幼い頃と変わらない。目が痛くなるほどだ。

息が苦しくなる。

吐く量と吸い込む量が釣り合わない。

引き伸ばされた時間の中で、俺の意識は楽器に吸い込まれていく。冷たい旋律をできるだけ甘く演奏する。

ソロにおける、最後の四小節。

一小節、三人きりのささやかで幸せな演奏会がまぶたの裏に浮かぶ。

二小節、優子と再会してからの日々が駆け巡り、俺は閉じていた目を開く。

三小節、演奏している吹奏楽部と止者の楽隊をトランペットの輝きがうつす。

そして四小節。

空気が消え去った中で、ようやく音が聞こえた気がした。

それから俺はかっこいいバイクを買った

吹奏楽部の打ち上げが終わった、日曜日の夕方。

俺と優子は二人で墓地へ来ていた。

文化祭後の打ち上げから直接ここに来たので、まだ通学カバンと楽器ケースを持ったままだ。ついでに道中の花屋で買った花も抱えているので手元がごちゃごちゃしている。

「花はあるけど、線香も数珠もない。いいのか、こんなんで」

「大丈夫でしょう。こういうのは気持ちの問題ですから。それに兄さんが形式的なことを気にするとは思えません」

「それもそうだ」

先導する優子の後ろを歩いて、墓地を進んでいく。優子の足取りは軽い。

「しかし元気そうだな。俺はすっかりくたびれたよ」

昨日まで長すぎる演奏をしていたとは思えない。

そういえば、さっきの打ち上げではみんなも元気そうだった。

大石は数年ぶりのジュースを飲んではしゃいでいたし、宇佐見は反対に水しか飲まないと固辞してカラオケでラブソングを歌いまくっていた。渋々引率してくれた原先生も締めの挨拶で突然男泣きし始めて、とにかく打ち上げは大盛り上がりだった。

そう考えると、疲れを引きずっているのは俺だけなのかもしれない。もちろん打ち上げは十分に楽しんだし、大石とデュエットして大いに場を盛り上げたんだけど。

「相馬さんは体力がないですね。私はむしろ生き返った気分ですよ」

「ああ、そりゃいいね」

それだけでいい、とも言える。

ようやく見つけた目的の墓石に花を供えて、俺と優子は並んで手を合わせる。

演奏中に一瞬見えた恭介は、演奏が終わる頃にはいなくなっていた。本当にいたのか、それとも幻だったのかはわからない。どちらにしても、あいつが俺たちの前に現れることはもうないだろう。

俺が顔をあげても、優子はまだ目を閉じたままだった。

優子の長い髪を風がもてあそぶ。

あの日の演奏を最後に、優子の三つ編みを見ていない。今はなにかで束ねることもなく、おろしたままになっていた。なにか心境の変化があったのかもしれないし、いい加減編むのが面倒になっただけかもしれない。

「そういえばさ、優子」

優子が目を開くのを待ってから、声をかけた。

「わかったよ、タイトルの意味。真空で音が聞こえる理由だけど、多分これが正解だ」

ずっと考えていたわけではないが、最後のソロパートを終えたときにふと気づいた。

「いいか、まず真空で音は聞こえない。けれど声で意思疎通をする手段はある。その一つが宇宙服のヘルメット同士をくっつけて話すっていう方法なんだ」

真空で音が聞こえないのは音の波を介する空気がないからだ。空気の充満した宇宙服のヘルメット同士を接触させれば、声の振動が伝わり会話をすることができる、と映画で観た。

「そういう風にして話すには、誰かが近くにいてくれないとダメなんだ。つまりあの曲も同じで、一人だと演奏できないし、聞こえないんだよ」

おそらく恭介は合奏曲として成立させるためにこの長さを必要としたのだろう。

真空の宇宙で音は聞こえると思うか。恭介にそう問いかけられたことを思い出す。

恭介は続けてこうも言った。自分には聞こえないが、お前には聞こえるはずだと。

合奏することの楽しさを知った俺にはたしかに聞こえる。聞くことができた。

「ようするに、この曲はあくまでも当たり前の合奏曲だって意味のタイトルなんだと思う」

演奏するだけでなく、ただ聞くことさえ一人では不可能な音楽。

俺がいくらやせ我慢をしても三十六時間聴き続けることはできない。

だが俺が聴くことのできなかった時間を、優子が聴いている。他の部員や親しい誰かが聴いている。その体験をつなぎ合わせることでしか聞こえない。一人の記憶ではなく、大勢の体験という形で聞かせるのがこの曲だ。

けれど、恭介になにか高尚な狙いがあったわけではないだろう。あくまでもこの曲はただの合奏曲として作られたに違いない。いや、作るつもりだったというべきか。

「だから優子が完成させた方法で正解だったと、俺は思うよ」

「そうですね。相馬さんがそう言ってくれるなら、きっとそうなんだと思います」

良かった、と優子がつぶやく。遺作を引き継いで完成させた優子の中には、恭介の遺志を汲《く》むことができたのかという不安があったのだろう。

「それと、演奏中に恭介を見たよ。本物か幻かはわからないけれど、俺には見えた」

「……そうですか」

優子は俺の言葉を噛みしめるようにつぶやいた。

「私も演奏したおかげで『真空で聞こえる音』についてわかったことがあります。あれは、兄さんから相馬さんへの別れの曲だったんじゃないかって」

「ああ、実は俺もそう思ってた」

恭介は俺に『双子のパラドックス』について話した。それでもよくわからなかった。あのときは知らなかったが、恭介が死んでからちゃんと調べた。

でも今なら少しだけわかる気がする。

あいつが言いたかったのは視点の問題だ。

俺が恭介から離れたのか、恭介が俺から遠のいたのか、それは視点の違いでしかない。どちらにせよ、俺たちは次第に離れていくしかないことを、恭介はわかっていたのだろう。

だから『真空で聞こえる音』は別れの曲だ。俺にとっても、優子にとっても、そして恭介にとってもそうなった。

優子の表情に以前のような影はない。おそらく彼女の中でも、なんらかの決着がついたのだろう。恭介のことも、それ以外のことも。

「さてと。それじゃあ、返すよ」

恭介の墓前で、トランペットの入った楽器ケースを優子に差し出す。すると優子は意外そうな顔をした。

「前に返せって言ったことを気にしていたんですか？　あれは方便ですよ」

「いや、いいんだ。最初からトランペットはこれでやめるつもりだったから。今回のことで捨てたり逃げたりするんじゃなくて、ちゃんとお別れできたと思う」

恭介とトランペット、その両方にきちんと別れを告げる。いつか懐かしく思い出して、笑顔になれるような、今度はそんなお別れだ。四年前とは違う。

「それは私も同じです。これが欲しかったのは、楽しかった子ども時代を手放さないためでした。だけどしがみついても仕方のないものだったって、今ならわかります」

優子は俺から受け取った楽器ケースを一度胸に抱きかかえると、再びこちらに差し出した。

「だから本当の持ち主にお返しします。これは本来あなたが持っているべきものですから」

そう言われてしまうと受け取らないわけにもいかない。俺と優子の間を行ったり来たりするトランペットは、再び手元に帰ってきた。

これをまた押入れにしまい込むのも気が引ける。

そうだ、このトランペットは学校に寄付することにしよう。母の言葉を借りれば、そのほうが祖母も喜んでくれるに違いない。

トランペットはまた俺の手を離れる。

だけど他に演奏してくれる人がいるのなら、それは楽器にとっても幸福な旅立ちになるはずだ。押入れで眠っているよりはいいだろう。

今後、吹奏楽部の後輩たちが楽しく演奏するための助けになってくれるとすれば、俺もかつての相棒として誇らしい。

「それでもまだ、どうしても私にプレゼントしたいっていうなら受け取りますけど、どうせならもっとロマンチックなものが欲しいですね」

そう言って、優子はイタズラっぽい笑みを浮かべた。

ずっと大人びた態度をしていた彼女が見せた、無邪気なその表情になんだかほっとさせられる。

文化祭での演奏が終わった瞬間、優子は泣いた。

人目もはばからず声をあげて泣いた。

他の部員も何人かは感極まったように涙ぐんでいたが、優子の涙は意味合いが異なる。その意味がわかるのは俺だけでいい、と思う自惚れがある。

俺の代わりを引き受けるように優子は泣いてくれた。

その優子が今は笑っている。それは俺にとっても幸せなことだろう。表情だけでなく髪型も変わったせいか、優子の印象そのものが変わったように感じられた。

今まで気づかなかったが、あらためて見ると優子の言うとおり彼女は昔と違って背も伸びたし、顔つきも変化している。つまり、なんというか――

「綺麗になったな」

疲れていたせいか、つい思ったことをそのまま口に出してしまう。こんな恥ずかしいことを言うつもりなんてなかったのに。

俺の言葉に、優子がまた表情を変える。

その顔を見ていたら、たまには素直に思ったことを言うのも悪くない気がした。

やっぱり恥ずかしいけど。

待ち合わせ場所は一条戻橋だった。

優子と別れた後、自宅で少し眠った俺は新聞配達をした。文化祭が終わったのだから、早朝のバイトは再開だ。まだ明けない空の下、バイクを走らせるのはやはり気持ちがいい。

午前四時過ぎ、順調にバイトを終えた俺は自転車を押して町を歩く。今日からはもう遠回りをすることはない。

橋の上にはトランペットケースを持った河合さんが待っていてくれた。

「ありがとうございます、相馬さん」

「いや、見送りをしたいって言ったのは俺だよ」

河合さんは今日ここを離れる。その見送りをしたいと伝えると、いつもの河川敷ではなく一条戻橋を指定された。

「でもどうしてここに？」

「前に相馬さんから、この橋が私たちをつないでくれたと教えていただいたので、一度くらいは一緒に見ておきたかったんです」

河合さんは感触を確かめるように橋の欄干に手を添えると、こちらに向き直った。

「私はこの町を離れますが、それは悪いことではありません。私には私の、弟には弟の人生があります。距離は離れることになりますが、お互いの幸せを願ってる。それで十分ですよね」

「うん、俺もそう思うよ」

大切な人が今日もどこかで元気に暮らしている。そう信じられるのは十分幸せなことだ。

本当はもっと色々と河合さんに伝えたいことがあるはずだった。

だけどいざとなると言葉は出てこない。

「じゃあ、もう行きます」

河合さんは今日この町を旅立つ。彼女の言うとおり、それは決して悲しいことではない。

なのに俺はどうしても寂しさを感じてしまう。これから見知った町を離れることになる河合さんは、もっとそうだろう。

「あのさ」

だから俺は言った。

「今度、バイト代でバイクを買うつもりなんだ。だから、かっこいいバイクに乗って会いに行くよ」

新しい門出には不安もあるだろう。それを和らげるために、なにより自分の寂しさをごまかすために、俺は約束を交わす。

「だから――またいつかどこかで」

これはきっと果たされることのない約束だ。この広い世界で俺と河合さんが再会する可能性は低い。たとえどこかですれ違っても、そのとき俺に彼女の姿が見えるかどうかもわからない。

だけど約束があるだけで、気持ちが軽くなることもあるはずだ。

「はい、またいつか。それまでにもっと上手に演奏できるように『きらきら星』を練習しておきますね」

ようやく河合さんが笑ってくれたので、俺もつられて笑顔になる。

止者と触れ合える時間は俺にとって夢のようなものだ。一度死んだはずの河合さんにとっても、止者として過ごす時間は夢に近いものだろう。

どうせ夢を見るなら、お互いに明るい未来を夢見たほうがいいに決まっている。

それから俺は、旅立つ河合さんの姿を見えなくなるまで見送った。

やがて朝日が昇り、俺もまた一歩踏み出す。

涼しさを増す空気は、もう新しい季節の到来を感じさせた。

あとがき

はじめまして、遠野《とおの》海人《かいと》です。

子どもの頃、あとがきにはどうしていつも決まって謝辞が書かれているのか、不思議に思っていました。でも自分が書く側になって初めてその理由がわかりました。ここでしか感謝を伝える場所がないんですね。

本書の出版に至るまでにはたくさんの人が関わってくださっていますが、直接お礼を言う機会はほとんどありません。なのでこの場を借りてお礼を。

審査員の先生を始めとする選考に関わってくださった様々な方々、自分にはもったいないくらいの推薦文を書いてくださった三上延《みかみえん》様と佐野徹夜《さのてつや》様、美しいイラストを手掛けてくださったあんよ様、打ち合わせに根気強く付き合ってくださった担当編集様、出版社や書店につとめる皆々様、その他たくさんの方のおかげでこうして本ができあがっています。本当にありがとうございました。

謝辞だけで締めたかったのですが、この物語についても少しだけ。

とても長い演奏をする話を書きました。「いつまでも」とはよく使われる形容ですが、現実には中々いつまでも続けられることはありません。どんな名曲も三十六時間聴き続けることはできないし、美しい景色だって数時間も見れば満足です。本当はいつまでも続けばいいんですけど、生きているかぎりは難しいのかもしれません。そんないつまでもは続かなかった大切な時間と向き合う物語を、桜の花と重ねてみました。ちょうどこの本が刊行される春の終わり頃から、この物語は始まります。そのため作中に直接桜の花が登場することはありません。彼らは枝と木を見て、かつての花を懐かしく思い出すだけです。

ですが、いずれはまた桜が咲くのかもしれません。だとすれば、いつまでも続く時間がないことは、たとえ寂しくても悲しいことではないような気がします。

実際の一条戻橋には桜以外の木もあるのですが、今回はそういう理由で表紙は一面の桜にしていただいたのでした。

最後になりましたが、ここまで読んでくださった方へとびきりの感謝を心から。

本書を少しでも気に入っていただければさいわいです。

二〇二一年三月　遠野海人

＜初出＞

本書は第27回電撃小説大賞で《メディアワークス文庫賞》を受賞した

『それから俺はかっこいいバイクを買った』に加筆・修正したものです。

この物語はフィクションです。実在の人物・団体等とは一切関係ありません。

メディアワークス文庫

君《きみ》と、眠《ねむ》らないまま夢《ゆめ》をみる

遠野海人《とおのかいと》

2021年4月25日　初版発行
2024年1月25日　3版発行

発行者　山下直久
発行　株式会社KADOKAWA
〒102-8177　東京都千代田区富士見2-13-3
0570-002-301（ナビダイヤル）
装丁者　渡辺宏一（有限会社ニイナナニイゴオ）
印刷　株式会社KADOKAWA
製本　株式会社KADOKAWA

●お問い合わせ
https://www.kadokawa.co.jp/（「お問い合わせ」へお進みください）
※内容によっては、お答えできない場合があります。
※サポートは日本国内のみとさせていただきます。
※Japanese text only

※定価はカバーに表示してあります。

Printed in Japan
ISBN978-4-04-913751-4 C0193

メディアワークス文庫　https://mwbunko.com/

本書に対するご意見、ご感想をお寄せください。

あて先
〒102-8177　東京都千代田区富士見2-13-3
メディアワークス文庫編集部
「遠野海人先生」係